Des milliers d'étincelles

Catalogage avant publication de Bibliothèque et Archives nationales du Québec et Bibliothèque et Archives Canada

Boulet, Tania
Des milliers d'étincelles
(Titan ; 91)
Pour les jeunes.
ISBN 978-2-7644-0983-1
I. Titre. II. Collection : Titan jeunesse ; 91.
PS8553.O844D47 2011 jC843'.54 C2011-940301-3
PS9553.O844D47 2011

Conseil des Arts du Canada Canada Council for the Arts

SODEC Québec

Nous reconnaissons l'aide financière du gouvernement du Canada par l'entremise du Fonds du livre du Canada pour nos activités d'édition.

Gouvernement du Québec – Programme de crédit d'impôt pour l'édition de livres – Gestion SODEC.

Les Éditions Québec Amérique bénéficient du programme de subvention globale du Conseil des Arts du Canada. Elles tiennent également à remercier la SODEC pour son appui financier.

Québec Amérique
329, rue de la Commune Ouest, 3e étage
Montréal (Québec) H2Y 2E1
Téléphone : 514 499-3000, télécopieur : 514 499-3010

Dépôt légal : 2e trimestre 2011
Bibliothèque nationale du Québec
Bibliothèque nationale du Canada

Projet dirigé par Marie-Josée Lacharité
en collaboration avec Stéphanie Durand
Révision linguistique : Claude Frappier et Annie Pronovost
Mise en pages : André Vallée – Atelier typo Jane
Conception graphique : Nathalie Caron
Photographie en couverture : Photocase

www.quebec-amerique.com

Imprimé au Canada

TANIA BOULET

Des milliers d'étincelles

QUÉBEC AMÉRIQUE

À Marianne Jomphe,
qui l'attendait depuis longtemps !

Chapitre 1

PAAARTYYY !!! Wouuu-houuu !

Il n'y a décidément rien de meilleur dans la vie que les vacances d'été. Deux mois de liberté totale, de soleil, de plage, de nuits trop courtes et de grasses matinées… Le paradis.

L'école est finie depuis une semaine et tous les soirs, c'est la fête. Je me sens revivre. J'en avais vraiment assez de tous ces examens, de l'étude, du stress… Alors, je décompresse. Et ça fait du bien !

Je crois que j'ai passé tous mes cours. Pas toujours avec de grosses notes, mais au moins, je n'ai pas coulé. Je mérite mes vacances et j'ai l'intention d'en profiter ! Comme j'ai l'intention de profiter du party de ce soir. Depuis que je suis arrivée avec mes amies, nous enchaînons fou rire par-dessus fou rire. Leurs chums nous regardent parfois d'un drôle d'air, mais on s'en fout. Il y a des choses que seules les filles peuvent comprendre.

Quand même... J'adore mes amies, mais quand je les regarde avec leurs copains, j'ai un petit pincement au cœur. Il y a deux semaines à peine, Kim était aussi célibataire que moi. Maintenant, Alex et elle sont inséparables. Tellement collés tout le temps que ça en devient fatigant. J'ai beau être contente pour mon amie, je n'ai pas l'habitude d'être la seule célibataire du groupe et ça ne me plaît pas du tout.

Mais maintenant que l'été est là, tout ça va changer ! L'été, c'est la saison idéale pour tomber amoureux, non ? Et pour ne penser à rien, pour se laisser aller, pour s'amuser ! Alors, bye-bye les pensées noires, ce soir, j'ai la ferme intention d'être heureuse !

La musique est bonne, la bière est fraîche, je me sens bien. Invincible. Je flotte sur mon petit nuage. Pas d'école demain, ni la semaine prochaine, ni dans un mois... Ahhhh, la vie est belle !

Un grand blond aux yeux bleus, à l'allure athlétique, s'arrête près de moi et me sourit.

— Salut, Ali Baba.

Il est le seul à m'appeler comme ça. Pour ma mère, je suis Alissa ; pour mes amies, Ali. Mais du plus loin que je me souvienne, le frère de ma meilleure amie, Marie-Pier, ne m'a jamais appelée autrement qu'Ali Baba.

— Salut, Jonathan. Je ne savais pas que tu passais l'été ici !

Jonathan vient de terminer sa deuxième année de cégep, en ville, loin de notre trou perdu sur la Côte-Nord. Il ne doit plus sortir avec sa belle Audrée, sinon il serait resté là-bas pour l'été...

— Qu'est-ce que tu veux, mes fans me réclament ! Il paraît que je suis absolument indispensable à l'équipe de soccer !

— C'est sûr que quand tu n'es pas là, ce n'est plus la même équipe...

Un de ses amis lui fait signe d'un air impatient. Jonathan me sourit, penaud.

— On m'attend, ça a l'air... Quand je te disais que je suis indispensable ! On va se revoir au feu de vendredi, je suppose ?

Aucune fille normalement constituée ne pourrait dire non à un regard aussi bleu. Et puis, il est évident qu'il n'essaie pas juste d'être poli. Son ton enjôleur, son sourire charmeur, sa façon de me regarder... Je connais assez les gars pour savoir qu'il a vraiment envie que je dise oui. Je n'oserais quand même pas le décevoir ! J'avale une gorgée de bière, le temps de le faire mijoter un peu, puis je réponds :

— Sûrement.

En le regardant s'éloigner, je me dis que mon été s'amorce merveilleusement bien. Jonathan est le genre de gars que tout le monde s'arrache. En plus d'être beau comme un dieu, d'avoir un corps de champion olympique et le talent qui va avec (il n'exagérait pas en disant qu'il est indispensable à l'équipe de soccer), il a cette espèce de magnétisme qu'acquièrent les gars quand ils quittent le village. D'ailleurs, du magnétisme, il en avait déjà à revendre avant de finir son secondaire. Il a toujours été le centre de l'attention, partout où il passait. Ce soir ne fait pas exception…

— Ali ! Ali ! You-hou, il y a quelqu'un, là-dedans ?

Marie-Pier cogne contre ma tempe avec son index, le visage à deux millimètres du mien. Son haleine empeste la bière, mais je ne dis rien. Je dois avoir exactement la même.

Je ris. Je pourrais passer ma soirée, ma nuit entière à rire.

— Oui oui, ça va, je suis là ! Pas besoin de m'assommer !

— Tu n'étais quand même pas en train de faire les yeux doux à mon frère ?

— Es-tu folle ? C'est lui qui me draguait !

Nous nous regardons en silence pendant quelques secondes, puis nous éclatons de rire en même temps.

Ah, les vacances…

J'ai moins l'humeur à rire le lendemain. Je suis fatiguée, ma tête veut éclater et j'ai vaguement mal au cœur. Mais le pire, c'est qu'il est presque quatre heures de l'après-midi, ce qui veut dire que ma chère maman va arriver d'une minute à l'autre et me tomber dessus à bras raccourcis…

Je suis rentrée ce matin à quatre heures et demie. J'ai à peine eu le temps de me glisser sous mes draps que ma mère ouvrait la porte de ma chambre, sans frapper et assez brusquement merci. Elle et ses sermons… Mes yeux se fermaient tout seuls et j'avais envie de rester encore sur mon petit nuage de party. J'ai fait semblant de dormir. Elle n'y a pas cru.

— Alissa Martin, tu parles d'une heure pour rentrer ! Tu étais où, d'abord ? Et avec qui ? Alissa ! Tu vas me répondre, oui ?

J'ai gardé mes yeux fermés et mon édredon par-dessus ma tête.

— Alissa, je sais que tu ne dors pas ! ALISSA !

Silence absolu. Elle ne pouvait pas m'obliger à parler si je n'en avais pas envie.

— Bon, j'ai compris. Je te laisse tranquille. Mais ça n'en restera pas là, mademoiselle. On parlera de tout ça demain.

Elle a claqué la porte et s'est éloignée d'un pas furieux. Je me suis dit que je m'en étais pas trop mal sortie. Deux secondes plus tard, je dormais, un vague sourire aux lèvres.

Je ne souris plus, maintenant. Ma tendre maman vient d'arrêter son auto dans le stationnement. Je me prépare pour l'affrontement. Cinq, quatre, trois, deux, un…

La porte s'ouvre à la volée. D'après ce que je peux entendre, ma mère n'a pas décoléré.

— ALISSA !

— Pas besoin de crier, je suis dans le salon.

Le temps d'enlever ses souliers et de ranger ses clés, elle fait irruption dans le salon comme si elle était prête à me déclarer la guerre. Les poings sur les hanches, elle demande :

— Alors, tu étais où, hier ?

Sans détacher les yeux de la télévision, je réponds :

— Chez Joanie. Elle a fait une petite soirée pour fêter les vacances.

Il me semble qu'avec ma mère, « soirée » passera mieux que « party », et rien ne m'oblige à préciser qu'on était à peu près quarante à fêter.

— Et c'est quoi, cette idée de rentrer à cinq heures ?

— Il était quatre heures et demie, pas cinq heures.

— Oh, seigneur, Alissa, tu sais très bien ce que je veux dire !

— Tout le monde est parti en même temps, je n'ai pas fait pire que les autres.

Du coin de l'œil, je la vois serrer les mâchoires. Puis, brusquement, elle abandonne le sujet et fronce les sourcils, comme si elle venait tout juste de me voir.

— Qu'est-ce que tu fais encore en robe de chambre ?

Je hausse les épaules. Est-ce qu'il faut vraiment que je réponde à ça ? Une fille a le droit de ne pas s'habiller après avoir passé la nuit à faire la fête, non ?

Hélas non, on dirait bien que selon ma mère, justement, je n'ai pas le droit de prendre une journée « robe de chambre ».

— Il fait super beau dehors ! Ne me dis pas que tu es encore restée toute la journée enfermée !

— J'étais fatiguée.

— Ça fait une semaine que tu passes tes journées à dormir ! Et tu te couches toujours à des heures impossibles !

— Ça va ensemble, maman. Si je me couche tard, il faut bien que je dorme plus tard le matin ! C'est logique !

Je lui jette un coup d'œil. L'air complètement découragé, elle se tourne vers le comptoir de la cuisine.

— Tu n'as pas fait la vaisselle ?

— Je viens de te le dire, je suis fatiguée !

— Tu as commencé le lavage, au moins ?

— J'ai oublié.

Elle ouvre la bouche, la referme, avec l'air de quelqu'un qui tourne la langue sept fois dans sa bouche avant de parler. Puis elle change de ton et me dit doucement :

— Alissa, tu ne peux pas passer ton été comme ça, à traîner dans la maison et à ne rien faire…

— Oh, maman, faudrait pas capoter ! C'est juste la première semaine des vacances, je n'ai pas dit que j'allais passer tout mon été comme ça !

C'est vrai, la plupart de mes amis travaillent, alors ils vont bien arrêter de lancer des invitations à droite et à gauche pour les partys… Moi, j'ai la ferme intention de me la couler douce, alors, tant qu'on m'invite, je réponds présente ! D'autant plus que Marie-Pier et Joanie n'ont pas cherché d'emploi non plus. Toutes les trois, on se promet un été à bronzer sur la plage. Qu'est-ce qu'elles penseraient si je leur annonçais que finalement, je vais m'enfermer pendant deux mois dans un bureau ou me morfondre derrière une caisse enregistreuse ? Elles diraient que je les laisse tomber et elles auraient raison ! Après ça, je ne pourrais pas me plaindre si elles décidaient de m'oublier ! En plus de garder mon teint blême, je me retrouverais toute seule. Rejet total. Plus personne ne voudrait m'approcher quand on saurait que mes meilleures amies m'ont abandonnée. Je n'y survivrais pas ! Mais évidemment, ma mère ne comprend pas. Elle ne comprend jamais rien à rien ! Et en plus, la voilà qui soupire comme si je venais de lui lancer la pire des bêtises…

— Écoute, je sais que tu n'as pas envie de travailler, mais il va quand même falloir que tu m'aides, que tu t'occupes un peu de la vaisselle, du lavage…

— Je n'ai pas envie de travailler ! Ça veut dire que je n'ai pas envie d'être ta femme de ménage non plus !

Qu'est-ce qui m'a pris de dire ça ? À la seconde où les mots sortent de ma bouche, je comprends que je viens de commettre une erreur fatale. Ma mère devient toute rouge. Je cherche frénétiquement un moyen de rattraper mes paroles, mais trop tard : elle a trouvé ses mots avant moi.

— Ma chère enfant, il n'est ABSOLUMENT PAS QUESTION que tu passes l'été à ne rien faire. Au centre d'accueil, on cherche des étudiants pour travailler comme aide à domicile chez des personnes âgées. Demain, je donne ton nom, que ça te plaise ou pas…

— Oh, non ! Non, maman, s'il te plaît !

— … et tu iras, sinon je te coupe tout ! L'argent de poche, le cellulaire, et je balance ton iPod aux vidanges ! C'est clair ?

Je n'ai même pas besoin de me forcer pour faire apparaître des larmes dans mes yeux. Qu'est-ce que j'ai fait pour mériter ça ?

— Maman ! S'il te plaît ! Je vais le faire, ton ménage, c'est promis !

Mais ma chère mère a un cœur de granit et mes larmes ne l'attendrissent pas le moins du monde. Après m'avoir assommée d'un « Tu iras, un point c'est tout ! », elle tourne les talons et s'en va préparer un souper qu'elle mangera toute seule. Elle ne me verra pas la face à la table, oh non ! Ce soir, je boude dans ma chambre. Elle va voir que moi aussi, je peux être bête.

Mes vacances viennent à peine de commencer et elles sont déjà finies.

Chapitre 2

Madame Rose habite une maison grise. Une maison terne comme sa vie. C'est plein de silence là-dedans, ça sent la solitude et le renfermé, ça sent la vieillesse… la tristesse… et il y a comme une sensation de vide qui plane, une impression que les choses sont trop à leur place, comme si personne n'osait jamais toucher à rien ou que personne ne vivait ici.

Si je n'avais pas peur de faire des cauchemars, je dirais que ça sent la mort. Ou, du moins, la fin de vie.

Ça donne froid dans le dos, de penser à tout ça. Ce n'est franchement pas mon genre d'avoir des idées noires, mais quand on reste assise tout un après-midi dans un salon de vieille à regarder des émissions nulles à la télé, on finit forcément par réfléchir. Et dans cette maison-là, les idées qui me viennent en tête sont toutes plus déprimantes les unes que les autres. D'autant plus que je ne suis pas là par choix.

Moi qui m'apprêtais à vivre un été plein de rires et de soleil, j'ai du mal à me faire à l'idée que je vais passer mes journées dans une maison grise. Ce n'est pas parce que ma mère travaille au centre d'accueil et adore ses petits vieux que je dois absolument les aimer, moi aussi ! Les vieux me mettent mal à l'aise. Je ne sais jamais quoi leur dire et de toute façon, je n'ai pas envie de leur parler. On ne vit pas sur la même planète, eux et moi ! Madame Rose passe son temps à me radoter ses histoires de bonne femme et ses potins qui n'intéressent personne. Qu'est-ce que ça peut bien me faire que la fille d'une telle se soit fait larguer par son mari ou que la nièce du petit-fils d'un autre vienne d'apprendre qu'elle attend des jumeaux ? JE M'EN CONTREFOUS ! JE NE VEUX RIEN SAVOIR ! Ça m'énerve, toutes ces histoires ! Ça m'énerve et ça m'emmerde !

L'été vient juste de commencer et j'ai déjà hâte qu'il soit fini !

Officiellement, je suis « aide à domicile ». Mais aide pour quoi ? Pour le ménage ? Je vois déjà mon reflet sur le plancher, ce qui est aussi bien parce que le ménage et moi, ça fait deux. Pour la cuisine ? Madame Rose ne mange à peu près rien. De toute façon, elle fait tous ses repas à l'avance. Heureusement, parce que si c'était moi qui devais la nourrir, elle devrait se contenter de sandwiches tout l'été. Et elle n'est pas sénile du tout. Elle est même plus allumée que certains jeunes de mon âge. Je n'irais pas jusqu'à dire que j'aime ce qu'elle porte, mais au moins, elle est toujours propre et bien coiffée. Petite, un peu ronde, elle a les cheveux blancs, les yeux gris et une peur bleue du silence. En tout cas, c'est l'impression qu'elle donne. Elle n'arrête jamais de parler. Elle est en super forme, madame Rose ! Elle n'a pas besoin d'aide !

J'ai parfois l'impression qu'il s'agit d'un complot entre elle, ma mère et le centre d'accueil. Ma mère a dû s'arranger avec elle pour que je ne passe pas mes journées à la maison à me tourner les pouces. Parce que maman sait bien que me tourner les pouces toute seule, ça n'a jamais été mon fort. Je préfère me tourner les pouces avec ma gang… et c'est ça qui lui fait peur.

Ma mère a l'air normale quand on la regarde comme ça, mais il ne faut pas se fier aux apparences. Il lui manque quelques tuiles. Elle n'arrête pas de s'imaginer toutes sortes d'histoires. Elle passe son temps à se faire des peurs. Résultat, si elle pouvait, elle m'implanterait une puce pour pouvoir me suivre à la trace et, si possible, connaître toutes mes pensées. Et ce n'est même pas une blague.

Dans le fond, je comprends un peu son obsession… mais juste un peu. Elle est tombée enceinte de moi à dix-sept ans. J'en ai seize. Pas difficile de tirer des conclusions… Depuis que j'ai douze ans (depuis mes premières menstruations, en fait), ma mère ne dort plus la nuit. Elle s'imagine que l'histoire va se répéter et que je vais faire les mêmes erreurs qu'elle. Que dès qu'un gars me fera les yeux doux, je lui sauterai dans les bras en dégrafant mon soutien-gorge. Elle est persuadée que je suis aussi nouille qu'elle… Réveille, maman ! Tu ne vois pas que je n'ai ABSOLUMENT pas l'intention de suivre tes traces ? Surtout quand on voit ce que ça a donné… Une femme de trente-quatre ans qui a l'air d'en avoir soixante tellement elle est tout le temps fatiguée. Et qui semble regretter chaque jour de m'avoir mise au monde.

Je sais que j'ai gâché la vie de ma mère. Je le sens à tous les jours. Parfois, un simple regard de sa part me donne envie de disparaître. D'ailleurs, j'aimerais qu'elle me regarde autrement, de temps en temps, comme les autres mères regardent leur fille. Comme si elle m'aimait, comme si elle était un peu mon amie… Mais non ! Ça ne se passe jamais comme ça avec ma mère ! Les regards, les mots, les gestes, tout est toujours négatif. Tout le temps ! Pourtant, je ne lui ai rien fait ! C'est elle qui m'a mise au monde, ce n'est pas ma faute à moi si j'existe ! Je ne demande pas grand-chose, il me semble ! J'aimerais juste, de temps en temps, avoir l'impression qu'elle est contente que je sois là…

Bon, il faut que j'arrête de penser à ma chère maman. Je sais comment ça se passe quand j'y songe trop longtemps : je me sens toute croche, je ravale mes larmes, et une fois le chagrin désamorcé, j'ai envie de casser quelque chose. Je ne voudrais pas être obligée de remplacer un des précieux vases à fleurs de madame Rose, ou un de ses innombrables bibelots… C'est vrai qu'elle en a tellement que je ne suis même pas sûre qu'elle s'en apercevrait s'il en manquait un…

Et moi, est-ce qu'elle s'apercevrait de mon absence si je décidais de ne pas venir, un matin ? Si j'envoyais n'importe qui à ma place, habillée et coiffée comme moi, est-ce qu'elle ferait la différence ? Je gagerais que non. Il faudra que j'essaie, un de ces quatre. Je pourrais demander à Marie-Pier de faire le test. Ce serait drôle…

Ah, et puis non, ça ne marcherait pas. Marie-Pier-la-blonde-aux-yeux-bleus ne pourrait jamais se faire passer pour Alissa-la-brune-aux-yeux-verts. Peut-être que Joanie ou Kim ferait plus l'affaire…

De toute façon, je ne demanderais jamais ça à mes amies. Il y a quand même des limites à ce qu'on peut accepter au nom de l'amitié. Leur santé mentale me tient trop à cœur pour que je les envoie périr d'ennui dans cette maison grise.

D'ailleurs, parlant de santé mentale, la mienne commence à m'inquiéter sérieusement. Tous les jours, c'est la même chose... routine plate, conversations qui tournent en rond, potins insignifiants. Madame Rose radote toujours les mêmes histoires. Celles de son mari, surtout. À l'entendre, son cher Georges était la huitième merveille du monde. J'ai envie de me boucher les oreilles chaque fois qu'elle prononce son nom. Et la neuvième merveille, c'est Angélique, sa voisine et meilleure amie, qui doit revenir de vacances dans deux jours. Madame Rose a hâte qu'elle revienne, et je compte les jours moi aussi. Quand madame Angélique sera là, les deux voisines pourront se raconter leurs potins, verser leur petite larme entre elles en se rappelant leurs défunts maris et moi, je ferai autre chose pendant ce temps.

Je serais même prête à me mettre au ménage, c'est dire si j'en ai ras-le-bol !

Aujourd'hui, c'est décidé, madame Rose va sortir un peu de sa cour. J'en ai assez de me morfondre à me bercer comme une débile sur sa galerie. Il y a de quoi devenir folle ! Dès qu'elle se réveillera de sa sieste, je vais lui sortir mes meilleurs arguments et la convaincre d'aller marcher sur la rue de la Promenade, celle qui longe la plage. Je la traînerai sur mes épaules s'il le faut, mais pas question que je passe une minute de plus dans cette maudite chaise berçante !

Moi et mes idées de génie... Je n'ai pas pensé une seconde que marcher n'empêcherait pas madame Rose de parler. Et je n'avais pas songé non plus qu'une vieille de quatre-vingts ans, même en forme, ça ne marche pas vite vite... Avancer à son rythme est presque aussi pénible que se bercer à côté d'elle sur sa galerie !

Il y a quand même du positif : au moins, on change de décor. Et madame Rose a l'air de bonne humeur. Elle pense peut-être qu'elle a réussi à m'apprivoiser. Peut-être qu'elle est convaincue que je lui ai proposé cette promenade pour lui faire plaisir, ou même parce que j'en ai envie (ha ! ha !). Laissons-la rêver !

Parlant de rêve, je plonge en plein cauchemar en voyant Jonathan s'approcher. Ça ne m'a jamais effleuré l'esprit que je pouvais rencontrer quelqu'un de ma connaissance en me promenant avec madame Rose. Je ne tiens absolument pas à ce qu'il me voie en sa compagnie. Mon travail n'a rien de secret ; de toute façon, dans un village comme le mien, rien ne reste secret bien longtemps. Tout le monde sait que je passe l'été à jouer à la dame de compagnie pour une vieille. C'est juste qu'il y a une différence entre le savoir et le voir... Garder des enfants, comme le fait Kim, à la limite, ça peut être acceptable. Les enfants, c'est souvent insupportable, mais il leur arrive d'être mignons. Tandis que les vieux...

— Salut, Ali Baba !

— Salut, Jonathan.

— Tu viens toujours au feu ce soir ?

— C'est sûr !

Je n'ajoute pas que ça va me faire du bien de me retrouver avec des gens de mon âge après la semaine que je viens de passer...

— Bon, à ce soir, alors !

J'aurais envie de le retenir un peu, pour entendre parler d'autre chose que de la voisine qui doit arriver demain, mais je ne veux pas avoir l'air de m'accrocher. Je me force donc à sourire et je continue ma route avec madame Rose. Laquelle fait remarquer, d'une voix un peu trop forte à mon goût :

— Tu ne m'avais pas dit que tu avais un chum !

Je lance un rapide coup d'œil derrière nous. Heureusement, Jonathan a de grandes jambes et a eu le temps de s'éloigner. Je serre les dents une seconde, puis corrige le plus calmement possible :

— Ce n'est pas mon chum.

— Dommage. Il est beau garçon.

Je gagerais qu'elle va ajouter qu'il lui fait penser à son défunt Georges... Mais non, elle se tait. Je n'ai pas l'habitude du silence avec elle, alors je dis la première chose qui me passe par la tête :

— C'est le frère de ma meilleure amie.

Elle me fait un sourire un coin.

— Et alors ? Ça ne l'empêche pas d'être beau garçon !

Non mais, est-ce que toutes les vieilles femmes sont comme ça ? On regarde un gars pendant plus d'une demi-seconde et elles nous voient déjà mariée avec lui. Ça m'énerve !

Un peu sèchement, je demande :

— Et votre mari, il était comment, physiquement ?

Comme si je ne le savais pas... Elle a dû me répéter au moins cent fois à quel point son Georges était beau, à quel point elle le trouvait élégant le jour où il est revenu de la guerre, avec son uniforme de soldat... Ce qu'il y a de bien avec les vieux, c'est qu'ils oublient toujours qu'ils nous ont déjà raconté leurs histoires. Ils passent leur temps à radoter, mais au moins, quand on veut changer de sujet, on n'a pas à se casser la tête pour trouver de quoi parler.

Enfin, enfin, le vendredi soir a fini par arriver ! Est-ce qu'il y a seulement une semaine que je travaille chez madame Rose ? J'ai plutôt l'impression que ça fait un mois... ou même un an. Le temps s'étire douloureusement dans la maison grise. Pas comme sur la plage, autour d'un feu, avec mes amies... et Jonathan.

Lui et moi, on se connaît depuis toujours, mais depuis le fameux party, on dirait que chacun s'est vraiment rendu compte de l'existence de l'autre. Comme si on ne s'était jamais vraiment vus, ou plutôt jamais vraiment regardés. Il a toujours été le frère de ma meilleure amie, comme j'étais la meilleure amie de sa sœur, j'imagine. Tout à coup, ce n'est plus pareil.

Tout à coup, il est un gars et moi une fille.

Les heures ont passé, le feu s'est calmé. Quelques personnes sont parties, d'autres se blottissent deux par deux sur le sable. Marie-Pier et Lucas, Joanie et Maxime, Kim et Alex... De toute ma gang, il n'y a que moi qui reste toute seule, complètement gelée, à essayer de me réchauffer auprès du feu qui s'éteint lentement. Il attend quoi, mon prince charmant, pour se décider ? Que je fasse les premiers pas ? Il va attendre longtemps !

Je lui donne cinq minutes, puis je m'en vais.

Au bout de quatre minutes et demie, dépitée, je me lève, tourne les talons... et me retrouve face à un Jonathan au large sourire.

— Tu t'en vas où comme ça, Ali Baba ?

— Chez nous. Je gèle.

Je n'ai même pas besoin de me forcer pour jouer l'indépendante. L'attente et le froid m'ont mise de mauvaise humeur. Après seize ans à vivre sur la Côte-Nord, on pourrait croire que j'ai appris ma leçon, mais non ! Je m'imagine encore qu'on peut passer la nuit en camisole au mois de juillet... Résultat : je préfère claquer des dents plutôt que de me pointer à un feu de camp vêtue comme en hiver. Je suis absolument certaine que je parais mieux avec les lèvres bleues et la chair de poule qu'avec un de ces chandails de grosse laine qui me donnent la silhouette d'un bonhomme de neige. Une fille a sa fierté.

Jonathan ne semble pas me prendre en pitié le moins du monde. Il éclate de rire, ce qui me donne envie de l'étrangler.

— Je ne vois pas ce que j'ai dit de drôle !

— C'est toi qui es drôle, pas ce que tu dis. Si tu te voyais…

Quoi, qu'est-ce que j'ai ? Une tache sur ma camisole, une mèche dressée sur la tête, ou est-ce que mon mascara a coulé ? Oh mon Dieu, je dois avoir l'air d'un raton laveur ! Le froid m'a fait monter les larmes aux yeux, il y a une demi-heure, et je n'ai pas pensé à mon maquillage quand je les ai essuyés… Il fallait que ça arrive ce soir ! Que Jonathan me voie dans cet état !

Je passe l'index sous mon œil gauche, examine le bout de mon doigt. Rien. Donc, pas d'yeux de raton laveur… du moins je l'espère. Je fronce les sourcils.

— Quoi, si je me voyais ?

— Tu as l'air d'un glaçon ! Tu claques des dents, tu as les joues rouge tomate, tu…

— Je sais ! C'est exactement ce que je disais ! Je gèle, alors je m'en vais !

S'il pense que je vais rester là à l'écouter se moquer de moi…

Il m'attrape par le bras.

— Attends ! J'ai une idée.

Il enlève son chandail de laine, exactement le genre « bonhomme de neige », et me le tend. J'hésite. Je ne l'ai même pas encore mis et j'ai déjà chaud.

Je bredouille « Merci » et me décide à enfiler le chandail, qui a conservé toute la chaleur et l'odeur de Jonathan. Mmm... Ça faisait longtemps que j'avais respiré l'odeur d'un gars. Je me rends compte à quel point ça me manquait. Un peu plus et je me plongerais le nez dans ce chandail en fermant les yeux.

Ce serait vraiment d'un chic fou... Je me retiens donc et souris à Jonathan, qui me propose d'aller marcher un peu. Marcher sur la plage au clair de lune, une nuit de juillet, avec le plus beau gars du village... Si je veux ??? OUIIIII !!! Je respire discrètement un bon coup, le temps de calmer mon cœur. S'il croit que j'hésite, tant mieux. Il ne faudrait pas qu'il s'imagine que je lui cours après, quand même.

— Tu n'as pas peur d'avoir froid, sans ton chandail ?

— Tu me réchaufferas !

Bonne réponse.

Nous nous éloignons du feu. Plus loin, où il fait plus noir et où les rires et les voix des autres ne nous atteignent plus, Jonathan se rapproche de moi. Mon cœur se remet à faire du zèle.

— Ça fait bizarre de te voir cet été... On dirait que tu n'es plus la même personne.

Sa voix, dans le noir, a quelque chose de troublant. La mienne tremble un peu quand je réponds :

— C'est peut-être parce que la dernière fois que tu m'as parlé, j'étais en secondaire un…

— Peut-être. C'est drôle, je n'aurais jamais pensé me retrouver un jour sur la plage avec l'amie de Marie-Pier !

— Et maintenant ?

Il hausse les épaules et rétorque :

— Tu y as pensé, à Marie-Pier, dans les quinze dernières minutes ?

— Pas du tout.

— Moi non plus.

Je ne lui demande pas à quoi il a pensé, exactement, dans les dernières minutes. Parce que je connais la réponse. Un gars ne propose pas à une fille d'aller se promener sur la plage au clair de lune sans avoir une idée derrière la tête. Et une fille n'accepte pas une pareille proposition sans être d'accord avec cette idée-là…

Jonathan arrête de marcher et se tourne vers moi. On y est… Mon cœur se détraque complètement.

— Alissa…

C'est la première fois qu'il laisse tomber mon surnom de gamine. Un long frisson parcourt ma colonne vertébrale. Un frisson qui n'a rien à voir avec la fraîcheur de la nuit.

Jonathan a maintenant les mains sur mes bras et me regarde d'un air un peu bizarre, presque surpris. Comme s'il venait de se rendre compte que je suis belle, que j'ai vieilli, que je ne suis plus la petite fille avec des tresses qui venait jouer avec sa sœur le samedi matin. Maintenant, c'est plutôt avec lui que j'aimerais m'amuser…

Incapable d'attendre plus longtemps, je passe les bras autour de son cou et approche mon visage du sien. À la ferveur qu'il met dans son baiser, je devine qu'il ne demandait pas mieux. Et je jure que jamais plus il ne me verra comme l'amie de sa sœur.

Chapitre 3

Je ne vois pas ce que madame Rose peut trouver à madame Angélique, ni pourquoi elle attendait son retour comme d'autres attendent le Messie. C'est à peine si son amie peut marcher de son fauteuil à son lit et de son lit à son fauteuil. Par contre, pour ce qui est de parler, elle ne donne pas sa place... et c'est tant mieux ! Je n'ai plus besoin de faire semblant d'écouter les histoires de madame Rose. Elle s'est trouvé une autre oreille pour ses radotages. Maintenant, je pourrai bayer aux corneilles toute la journée si ça me chante. Être payée pour s'ennuyer... Il y a pire.

Ce matin, je n'ai pas seulement rencontré madame Angélique. J'ai aussi découvert quelque chose de très bizarre : il y a des filles de quinze ans qui font le même travail que moi et qui adorent ça.

Oui, ça existe, des jeunes de mon âge qui s'intéressent aux histoires d'il y a soixante ans ! J'en ai la preuve... Elle a même un nom, cette preuve : Olivia.

Et elle n'a pas qu'un nom... elle a surtout des cheveux ! Beaucoup de cheveux, noirs comme la nuit, qui partent de tout bord tout côté comme si chaque mèche ne voulait rien savoir de sa voisine. Elle a aussi un anneau sur la langue... et une tonne de mascara sur les cils. C'est à se demander comment elle fait pour garder les yeux ouverts.

Tout, chez cette fille, est noir corbeau : sa tête, ses yeux, ses vêtements, ses ongles. Elle fait presque peur. La dernière place où on l'imaginerait, c'est chez une vieille personne. Pourtant, elle est aide à domicile, elle aussi. Et bien meilleure que moi, en plus.

Je n'ai aucune honte à l'avouer. Qu'est-ce que ça peut bien me faire si tout le monde pense que je suis nulle avec les vieux ? Rien du tout. Même que le contraire m'insulterait. Mais Olivia... Olivia a l'air heureuse d'être là. On dira ce qu'on voudra, moi, je trouve ça inquiétant pour quelqu'un de mon âge.

Quand je suis arrivée à la maison grise, ce matin, madame Rose était déjà prête à partir. Elle trépignait, même ! Elle avait tellement hâte de me présenter sa voisine ! Je crois aussi qu'elle s'imaginait que j'allais tomber en pâmoison devant Olivia et qu'on deviendrait instantanément amies.

Nous sommes donc débarquées chez madame Angélique à huit heures et quart et nous poireautons là depuis deux heures. En fait, *je* poireaute, parce que les trois autres ont l'air d'avoir un plaisir fou. J'aurais envie de secouer Olivia et de lui demander ce qui ne va pas dans sa petite tête à la crinière électrique. La solidarité entre jeunes, il me semble que ça devrait exister !

Madame Angélique se lève tout à coup, interrompant Olivia en plein milieu d'une phrase. Ce qui n'a pas l'air de déranger ladite Olivia... Quand je disais qu'elle n'est pas normale !

— Oh, il faut que je vous montre l'album que j'ai fait avec Sarah !

Sarah, c'est sa fille, chez qui elle vient de passer une semaine.

Pendant que madame Angélique va chercher son précieux album, le silence plane quelques secondes, puis madame Rose demande à Olivia :

— Tu n'es pas une petite fille d'ici, toi ?

Si quelqu'un me traitait de « petite fille », je lui sauterais à la gorge. Olivia, elle, lui fait un grand sourire et répond :

— Non. De Lévis.

— Lévis ? Qu'est-ce que tu fais ici, alors ?

Oui, qu'est-ce qui lui a pris de venir s'enterrer ici, au fin fond de la Côte-Nord, alors qu'elle aurait pu profiter de la ville tout l'été ? Elle est vraiment folle, cette fille ! Ou alors, c'est une masochiste !

Olivia ouvre la bouche pour répondre, mais madame Angélique l'interrompt.

— Olivia, viendrais-tu m'aider ? Je n'arrive pas à transporter mon album avec ma marchette.

Il faudra attendre avant de savoir ce que la demoiselle de Lévis est venue chercher dans ce trou perdu, finalement.

En voyant l'épaisseur du fameux album, j'ai envie de pleurer de découragement. On en a pour la journée !

Assises avec les trois autres autour de la table de la cuisine, je me surprends à trouver que le temps ne s'étire pas trop, finalement. Même que… je dirais que l'album de madame Angélique est plutôt réussi. Et pas seulement à cause des décorations et des beaux papiers que Sarah a mis sur les pages. Non, les photos elles-mêmes sont intéressantes… au moins un peu. Il y a quelque chose de fascinant dans ces portraits en noir et blanc. Ça fait drôle d'imaginer que madame Angélique et madame Rose ont déjà été jeunes. Madame Angélique a eu son premier bébé à vingt et un ans. Sur les photos, elle a l'air à peine sortie de l'adolescence. Et son mari aussi !

Au bout de quelques pages, je cesse d'écouter les histoires de madame Angélique et je me concentre sur les photos en m'inventant mes propres scénarios. Finalement, je survis à mon avant-midi. Je réussis même à avoir l'air enthousiaste en disant « À demain ! » à madame Angélique et Olivia en partant.

Madame Rose dort dans sa chambre. J'ai fait au moins quatre fois le tour des chaînes à la télé, sans rien trouver à me mettre sous la dent. J'ai écouté mon iPod dix minutes avant de me rendre compte que je ne l'entendais pas. Mes yeux reviennent toujours à la pile d'albums devant moi. Ils semblent me narguer, ces albums. Comme s'ils savaient que je vais finir par baisser les bras et les ouvrir l'un après l'autre.

C'est fou, c'est complètement bête, mais je lutte. Madame Rose a sorti ses albums pendant que je lavais la vaisselle, puis les a laissés là quand elle est montée pour sa sieste. Je suis sûre qu'elle s'imaginait que j'allais me précipiter dessus dès qu'elle aurait le dos tourné. Que je meurs d'envie de plonger dans ses souvenirs. Ha ! Elle se met le doigt dans l'œil, et pas à peu près !

Bon, pour être tout à fait honnête, j'ai quand même un peu envie de regarder ces photos. Mais… j'ai l'impression qu'elles changeraient tout. Qu'elles me feraient voir madame Rose autrement, et je ne suis pas certaine que ce serait une bonne chose. Je suis très bien dans mon rôle d'aide à domicile qui s'occupe de sa cliente pendant la journée et l'oublie dès qu'elle sort de la maison. En dehors de mes heures de travail, quand je parle d'elle, c'est pour me plaindre de mon travail à mes amies. Je n'ai pas envie de connaître la vie personnelle de madame Rose, en tout cas, pas plus que ce qu'elle en raconte pendant ses monologues. Je ne veux pas pouvoir mettre des images sur ses histoires.

Je soupire. Une conversation que j'ai eue avec ma mère il y a trois jours me revient en mémoire. Ce soir-là, elle a commencé avec son habituel « Comment a été ta journée ? » Ce à quoi j'ai répondu avec mon non moins habituel « D'après toi ? » Elle a soupiré.

— Alissa, vas-tu passer l'été à me faire la gueule ?

— Ça se pourrait, oui.

— Tu ne trouves pas que ça devient fatigant ? L'énergie négative, ça ne donne jamais rien de bon…

Quand ma mère commence à sortir des trucs genre « énergie négative », moi, je décroche. J'ai haussé les épaules en silence. Là, je dois dire qu'elle mérite un bon point pour ne pas avoir perdu patience, comme elle l'aurait fait en temps ordinaire. Elle a soupiré encore, puis a ajouté :

— Je sais que tu m'en veux de t'avoir forcée à travailler. C'est ton droit. Mais il me semble que tu passerais un meilleur été si tu arrêtais de t'apitoyer sur ton sort et que tu essayais de voir le côté positif des choses.

Là, ça a été plus fort que moi, les mots sont sortis tout seuls :

— Quels côtés positifs, veux-tu bien me dire ?

Mon ton agressif ne l'a pas arrêtée. Elle a répondu que les personnes âgées sont souvent plus intéressantes qu'elles n'y paraissent au premier coup d'œil, que je trouverais peut-être le temps moins long si j'essayais de comprendre un peu plus madame Rose, que je devrais vraiment écouter ses histoires au lieu de faire semblant... Comment elle a deviné que je n'écoutais pas et que je trouvais le temps long, ça, je n'en ai aucune idée, parce que ce n'est pas moi qui le lui ai dit. Peut-être qu'elle me comprend plus que je crois...

Je n'avais pas repensé une seule seconde à cette conversation, mais là, dans le salon de madame

Rose, devant sa pile d'albums, les mots de ma mère me reviennent. Elle veut que j'essaie de m'intéresser à madame Rose ? D'accord, essayons. Ne serait-ce que pour prouver à ma je-sais-tout de mère que ça ne marche pas, son truc.

Presque à contrecœur, je prends le premier album de la pile.

Les albums de madame Rose n'ont rien à voir avec ceux de madame Angélique. Ce sont de simples ramassis de photos sans flafla. Et pourtant, même s'il n'y a aucun texte, elles racontent beaucoup mieux la vie de leur héroïne que les grandes phrases élégantes de Sarah.

Je croyais connaître l'histoire de madame Rose, mais je me rends compte que mes tentatives d'entendre sans écouter ont porté fruit : je ne sais rien d'elle, ou si peu… juste assez pour reconnaître son beau Georges avec son uniforme. Juste assez pour avoir envie de creuser un peu plus loin.

C'est vrai qu'il était beau, son mari, dans son genre. Dans le genre « mari des années cinquante », j'imagine. Et madame Rose… On ne le croirait jamais, à voir son visage ridé et ses mains déformées aujourd'hui, mais elle était plutôt jolie. Très jolie, même.

Après les photos de mariage, où madame Rose rayonne carrément, il y a une photo d'elle avec une petite bedaine. À voir son sourire, on devine que ce n'est pas seulement de l'embonpoint. D'accord, mais il est où, ce bébé ? Elle ne m'a jamais parlé de ses enfants, et Dieu sait qu'elle m'a parlé de tout le reste, que ça la concerne de près ou de loin. Après celle de la bedaine, il y a très peu de photos. Quelques-unes de son mari, puis son avis de décès, quelques images de ses funérailles… et l'album est fini. Celui d'après, dans la pile, commence plusieurs années plus tard, quand madame Rose n'a plus ni bedaine ni sourire. En fait, il y a très peu de photos d'elle. Ce sont plutôt des gens que je ne connais pas, sa famille, probablement, ou ses amies, mais personne en âge d'être son enfant.

Je regarde les premières pages des autres albums. Il doit en manquer un ou plusieurs, parce que je ne trouve aucune photo de bébé. Je demanderai à madame Rose après sa sieste.

Ou plutôt non, je ne le lui demanderai pas. Ce ne sont pas de mes affaires, après tout. En plus, telle que je la connais, elle pourrait me faire un grand discours sur son ou ses enfants et ça n'en finirait plus…

Des fois, mieux vaut ne rien savoir du tout.

Je n'ai pas pu résister. Zéro volonté, la fille. Il faut dire que madame Rose m'a un peu entrouvert la porte… Quand elle s'est réveillée de sa sieste, j'étais encore penchée sur la page où on la voit avec sa bedaine de femme enceinte. J'ai refermé l'album aussi vite que j'ai pu, mais elle a de bons yeux malgré son âge. Elle m'a tout de suite dit :

— Ah ! Tu regardes mes photos de jeune mariée !

Je n'ai pas réfléchi avant de répondre. C'est d'ailleurs un de mes grands défauts.

— Oui, et je me demandais pourquoi on ne voit pas de photo de votre bébé… Vous étiez enceinte, non ?

Elle a souri. D'un sourire plutôt… discret. C'est à peine si ses lèvres se sont un peu étirées. Elle s'est assise à côté de moi sur le divan et, pour une fois, ça ne m'a pas dérangée de la sentir si près.

J'attends encore sa réponse. Ça fait peut-être deux minutes qu'elle semble chercher ses mots. Deux minutes de silence, c'est long, quand on connaît madame Rose, long et inconfortable. Assez, en tout cas, pour que je regrette d'avoir posé la question.

Finalement, elle me raconte son histoire. Une histoire très différente de ce que j'imaginais.

— Quand Georges est revenu de la guerre, on s'est mariés presque tout de suite. Et je suis tombée enceinte quelques mois plus tard. Enfin, j'avais l'impression que ma vie se mettait en place. J'avais attendu Georges tellement longtemps ! Maintenant, il était là, et un bébé s'annonçait… C'était le bonheur total.

« Tu sais comment Georges est mort. Un accident de voiture. Tu imagines, survivre à la guerre pour mourir dans un accident quelques mois plus tard ! C'était tellement bête, tellement injuste… J'en ai passé, des jours et des nuits, à pleurer mon mari et ma vie parfaite !

« Et puis un jour, j'ai décidé que je m'étais assez apitoyée sur mon sort. J'avais un bébé dans le ventre qui avait besoin de moi. J'ai arrêté de pleurer et j'ai essayé de reprendre une vie normale. Sans Georges… »

Ici, elle s'arrête, comme si elle cherchait le courage de continuer. Je sens que je ne vais pas aimer du tout ce qui va suivre.

— J'ai tenu bon pendant quelques semaines. Jusqu'à ce que mon bébé meure, lui aussi, dans mon ventre. Là, j'ai cru que j'allais devenir folle. Vraiment folle, tu comprends ? Un malheur après l'autre, comme ça, les deux amours de ma vie disparus pour toujours, et moi qui restais toute seule dans la maison que Georges avait bâtie, qu'on avait décorée ensemble, avec la chambre du bébé toute prête et un bébé qui ne naîtrait jamais…

Elle soupire.

— Je me demande encore comment j'ai fait pour ne pas perdre la tête.

Elle a l'air un peu ailleurs. Ses yeux qui regardent dans le vide me mettent terriblement mal à l'aise. Alors, pour la ramener à la réalité, je lui pose la première question qui me vient à l'esprit :

— Votre bébé, c'était un garçon ou une fille ?

Encore une gaffe... J'aurais dû changer de sujet, trouver n'importe quoi mais lâcher ces histoires de bébé, au lieu d'enfoncer le clou ! Madame Rose me regarde avec un air bizarre, comme si elle avait oublié que j'étais là, puis revient sur terre.

— C'est drôle que tu me poses cette question, Alissa. Dans ce temps-là, il n'y avait pas d'échographie, donc aucun moyen de savoir le sexe du bébé qu'on attendait. Bien sûr, on avait toutes sortes de trucs, comme faire pendre une aiguille au bout d'un fil et voir comment elle bougeait, mais ça ne marchait pas tout le temps... Et il y avait la forme du ventre, aussi... Tout le monde me disait que j'avais une bedaine de garçon et le truc de l'aiguille me donnait un garçon aussi, mais moi, j'étais sûre que ce serait une fille. Tellement sûre que j'avais demandé à Georges de peindre la chambre en rose. On s'était dit que si je me trompais, on recommencerait ! Mais je savais, moi, que je ne me trompais pas. Elle avait même un nom, ma fille : Marguerite.

Elle a de nouveau ce regard lointain que je n'aime pas. Je me dépêche de demander :

— Et ? L'avez-vous su, si c'était une fille ?

Je suis peut-être cruelle d'insister, mais son histoire a fini par me captiver, presque malgré moi. Je veux savoir. J'ai besoin de savoir. De nouveau, elle revient à la réalité, les yeux pleins d'eau cette fois.

— J'en étais à sept mois et demi de grossesse quand je l'ai perdue, alors oui, je sais. C'était bien une fille. C'était Marguerite.

Le ton de sa voix me donne froid dans le dos. J'ai l'impression de sentir un fantôme planer dans le salon. Je ne crois pas à ce genre de bêtises, mais des fois… des fois, on sent des choses qu'on ne comprend pas et ça fait peur.

Je cherche une façon de changer de sujet quand madame Rose conclut :

— Un jour, je te montrerai sa chambre… Mais assez parlé de ça ! Tu veux un sucre à la crème ?

Je n'ai jamais compris cette manie qu'ont les vieilles dames de vouloir nous bourrer de sucre à la crème à toute heure du jour mais, pour une fois, je m'empresse d'accepter. Je mangerai même tout ce qu'elle a si ça peut faire fuir les fantômes. Et tant pis pour ma ligne !

Chapitre 4

— Le pire dans tout ça, c'est qu'elle m'a dit qu'elle me montrerait la chambre, un jour.

— Quelle chambre ?

— La chambre du bébé ! Ça fait juste cinq minutes que j'en parle !

Lucas me fait un petit sourire penaud. S'il arrêtait de bécoter Marie-Pier deux secondes, il saurait de quoi on parle…

Nous sommes tous les huit à la crémerie et je viens de raconter à mes amis ma journée avec madame Rose. Pour une raison que je m'explique mal, ils adorent m'entendre parler de « ma vieille », comme ils l'appellent. Surtout Marie-Pier et Joanie. Peut-être parce qu'elles ne travaillent pas, elles. Quand je pense qu'elles passent leurs journées les pieds dans le sable à se faire dorer le nombril, j'en pleurerais... Dire que si ce n'était pas de ma mère, je serais aussi bronzée qu'elles !

Kim avale une bouchée de sa banana split et remarque :

— Un bébé qui n'est jamais né, et elle a encore sa chambre dans sa maison ! Ça doit faire quoi, cinquante ans ?

— Je dirais plus soixante...

Jonathan, qui est collé sur mon dos et m'entoure de ses bras, me plante un baiser dans le cou, ce qui manque de me faire perdre complètement le fil de la conversation, puis il ajoute :

— Je ne sais pas si tu es au courant, mais ta madame Rose, il y a bien des gens qui la trouvent bizarre...

Intriguée, je demande :

— Non, je ne savais pas. Qu'est-ce qu'ils disent, au juste ?

Maxime prend un air de conspirateur.

— Il paraît que depuis que son mari et son bébé sont morts, elle se parle toute seule. Il y en a même qui disent qu'elle leur parle, à eux. Comme si elle voyait leurs fantômes.

Pour rien au monde je n'avouerais que j'ai senti une présence, cet après-midi, pendant que madame Rose me parlait de Marguerite. Kim renchérit :

— Il paraît qu'elle porte encore sa robe de mariée, des fois, chez elle. Qu'elle la met tous les dimanches matin et qu'elle passe la journée avec.

Je ne suis jamais là le dimanche, mais j'ai du mal à imaginer madame Rose se promenant dans sa robe de mariée. Je demande à Kim d'où elle tient cette histoire. Elle hausse les épaules.

— Tout le monde sait ça, voyons !

— Moi, je ne savais pas.

Les autres éclatent de rire et j'ai soudain l'impression que oui, tout le monde sait tout de madame Rose à part moi. Je me sens comme la dernière des imbéciles. Pour les faire taire, je lance de mon ton le plus assuré :

— C'est vrai qu'elle est bizarre, des fois.

Ça marche. Les rires cessent et mes amis sont de nouveau suspendus à mes lèvres. Joanie a les yeux brillants.

— Qu'est-ce qu'elle fait de bizarre ?

— Elle… heu… c'est vrai qu'elle parle toute seule, des fois. Je ne sais pas si c'est à son mari et à son bébé, mais des fois, quand je suis dans une autre pièce, je l'entends qui marmonne.

Je me sens à peine coupable de mon mensonge. De toute façon, c'est presque vrai : les trois quarts du temps, quand madame Rose me parle, je ne l'écoute pas. Alors, c'est un peu comme si elle parlait toute seule, non ?

Marie-Pier a l'air fasciné.

— Et sa robe de mariée, c'est vrai qu'elle la met encore ?

Il y a quand même des limites à déguiser la vérité, mais je peux toujours m'en sortir en restant dans le vague.

— Je ne pourrais pas dire, je ne travaille pas la fin de semaine.

Cette fois, je n'ai même pas eu besoin de mentir. Je pourrais toujours ajouter que je n'ai jamais vu traîner une robe de mariée, mais rien ne m'y oblige…

Jonathan s'agite derrière moi. Je sens qu'il en a assez de cette conversation. Une main sur ma hanche, il lance :

— En tout cas, robe de mariée ou pas, je n'aime pas trop savoir que tu passes tes journées avec cette femme-là.

— Quoi, tu as peur que je devienne folle moi aussi ?

Encore une fois, mes amis éclatent de rire. Jonathan sourit.

— Non, mais ça m'inquiète un peu. Elle n'est pas dangereuse, ta madame Rose, au moins ?

Pour avoir vu cette même madame Rose ramasser délicatement une araignée dans un papier mouchoir avant de la déposer sur sa galerie, je doute qu'elle ferait du mal à un être vivant, quel qu'il soit. Je souris à mon tour.

— Oh oui, elle est très dangereuse ! Elle me force à me bourrer de sucre à la crème, tu sais, comme la sorcière dans Hansel et Gretel !

— Tu as peur qu'elle te mette dans un chaudron à la fin de l'été, c'est ça ?

— Exactement.

— Alors, il va falloir te sortir de là au plus vite !

Les autres ne nous écoutent plus. De toute façon, nous n'avons plus rien à dire, puisque Jonathan vient de s'emparer de mes lèvres et m'embrasse comme s'il voulait m'avaler. Il goûte la crème glacée à l'orange. Mmm…

Ça fait du bien d'avoir un chum à nouveau. Surtout ce chum-là ! J'en avais vraiment ma claque d'être célibataire. Marie-Pier, Kim et Joanie ont bien essayé de me convaincre de sortir avec un des gars de secondaire cinq qui me faisaient de l'œil, mais je préférais attendre. Je devais sentir ce qui allait arriver avec Jonathan. En tout cas, ma patience a porté fruit ! Toutes les filles qui me voient avec mon nouvel amoureux me regardent avec une pointe d'envie. Il faut dire que Jonathan, c'est quelqu'un !

J'en veux à ma mère. J'étais déjà en colère contre elle quand elle m'a obligée à prendre cet emploi d'été chez madame Rose, mais depuis que Jonathan et moi sortons ensemble, je lui en veux dix fois… non, mille fois plus.

Comme il l'a décidé, Jonathan ne travaille pas, lui. Il passe ses journées à faire ce qu'il veut pendant que je me tape la vaisselle et les histoires plates de madame Rose. Si ma mère m'avait laissée tranquille, moi aussi je ferais ce que je veux, et avec Jonathan en plus ! Je n'aurais pas besoin d'attendre le soir pour le retrouver et je n'aurais pas à me coucher avant tout le monde pour me lever à l'heure des poules… Sept heures du matin quand on est en vacances, c'est un peu tôt pour commencer sa journée… surtout ce genre de journée !

Bon, je devine que c'est probablement LA raison pour laquelle ma mère voulait absolument que je travaille : pour savoir tout le temps où je suis, avec qui et pour quoi faire. Avec madame Rose, pas de danger… alors que selon elle, Jonathan est une menace constante pour mon équilibre physique et mental. Jonathan n'est pas une menace, au contraire ! Si je souris encore, c'est grâce à lui !

J'en suis là dans mes pensées quand, tout à coup, je réalise que mes amis se sont tus. Une fille à l'allure bizarre vient d'arriver sur la terrasse de la crémerie. Une fille tout en noir, de la racine des cheveux au bout des ongles.

Olivia.

Elle passe à travers notre groupe comme si nous n'étions pas là, sauf quand elle arrive à côté de moi et me jette un coup d'œil. Je soutiens son regard sans prononcer un mot. Quoi, elle s'imagine que je vais lui sauter dans les bras juste parce qu'on s'est vues chez nos vieilles ? Du calme ! Si tu veux une gang, trouves-en une et laisse la mienne tranquille !

Elle n'a même pas ralenti en passant devant moi, mais Marie-Pier a remarqué le regard qu'elle m'a lancé. Du bout des lèvres, elle prononce tout bas :

— Olivia ?

Je hoche la tête, un sourire en coin. Marie-Pier va enfin comprendre pourquoi je traitais Olivia de pas normale. En effet, elle lève les yeux au ciel avec une expression tellement comique que j'éclate de rire. Olivia ne se retourne même pas.

Par contre, quelqu'un d'autre se retourne. Quelqu'un qui suit Olivia et que je n'avais pas remarqué. Il faut dire qu'il n'a rien de remarquable… surtout à côté d'Olivia.

En fait, Benjamin Côté est de ceux qu'on ne remarque *jamais*. Tellement que la plupart du temps, on oublie qu'il est là. Depuis la maternelle, il a presque toujours été dans la même classe que moi et même maintenant, chaque fois qu'il ouvre la bouche, je suis surprise de l'entendre parler. Comme si j'avais oublié qu'il est vraiment vivant. En général, il fait plutôt partie des meubles. Tout est ordinaire chez lui : taille moyenne, corpulence moyenne, cheveux châtain… moyen, ni longs ni courts, yeux… de quelle couleur sont ses yeux, au fait ? Je n'en ai pas la moindre idée. Et ça ne m'intéresse absolument pas.

Alors, quelqu'un peut-il m'expliquer ce qu'un gars aussi insignifiant que Benjamin Côté fait avec une fille comme Olivia ? Ils ne sortent pas ensemble, quand même ? Je veux bien croire que les contraires s'attirent, mais il y a des limites !

Aussitôt que la porte de la crémerie se referme derrière eux, Joanie et Kim se tournent vers moi avec des yeux de panthères qui viennent de repérer une proie. Un peu plus et elles se lécheraient les babines.

— C'est elle ?

— Oui, c'est elle ! Je vous l'avais dit, qu'elle était bizarre !

— Elle est plus que bizarre, elle est… épeurante !

Les quatre gars nous regardent, les yeux pleins de points d'interrogation. Ils n'étaient pas là hier soir quand j'ai parlé d'Olivia aux filles. Lucas fronce les sourcils.

— Allez-vous finir par nous expliquer c'est qui, elle ?

Je jette un coup d'œil à la porte. Elle est bien fermée, pas de danger qu'Olivia ou Benjamin nous entendent, mais je parle quand même bas :

— Elle fait le même travail que moi chez la voisine de madame Rose. Aide à domicile. Et elle a l'air d'adorer ça ! Elle n'est vraiment pas normale, cette fille-là. On dirait qu'elle se sent mieux avec les personnes âgées qu'avec les gens de notre âge. Ça fait deux avant-midi que je passe avec elle et elle ne m'a pas encore dit un mot.

J'exagère à peine. Olivia m'a bien dit bonjour et au revoir, mais elle n'a fait aucun effort pour entamer une conversation avec moi. On fait difficilement plus sauvage…

Alex s'étire le cou pour essayer de voir par la fenêtre de la porte.

— Qu'est-ce que Benjamin Côté fait avec elle ?

Je crois que de toutes les caractéristiques d'Olivia, c'est la compagnie de Benjamin qui nous intrigue le plus. Je grimace.

— Aucune idée. Je n'aurais jamais pensé qu'il s'intéressait à ce genre de fille.

— Je ne croyais même pas qu'il s'intéressait aux filles tout court !

Le commentaire de Jonathan nous fait tous pouffer de rire. C'est vrai qu'on n'a jamais vu Benjamin avec une fille. À vrai dire, je ne crois pas qu'une seule fille voudrait être vue avec Benjamin.

Aucune, sauf Olivia.

Ce qui nous ramène à notre point de départ : qu'est-ce que ces deux-là font ensemble ? Marie-Pier se pose la question autant que moi. Et quand Marie-Pier veut savoir quelque chose, elle s'arrange pour avoir des réponses.

Quand Benjamin et Olivia ressortent de la crémerie, nous nous taisons tous avec un bel ensemble (qui doit paraître terriblement suspect) et leur adressons nos plus beaux sourires (non moins suspects). Puis Marie-Pier dit :

— Salut, Benjamin ! Ça va ?

Benjamin la regarde avec un air soupçonneux.

— Oui, ça va. Toi ?

— Très bien !

Puis, dirigeant son sourire vers Olivia :

— Tu ne nous présentes pas ton amie ?

Il jette un coup d'œil à Olivia, qui hausse les épaules.

— Marie-Pier, je te présente Olivia. Olivia, Marie-Pier.

Olivia penche un peu la tête en affichant le sourire le plus hautain qu'il m'ait été donné de voir, puis ils partent tous les deux. Sans un regard de plus. Comme si le reste de la gang n'existait pas.

Non mais ! Ils se prennent pour qui ???

En tout cas, une chose est sûre : plus Benjamin Côté essaiera de nous cacher ce qu'il fait avec Olivia, plus je ferai tout ce qu'il faut, et même ce qu'il ne faut pas, pour le découvrir.

Chapitre 5

Je n'aurais jamais pensé qu'un jour Benjamin Côté m'empêcherait de dormir. Pourtant, j'ai passé une partie de la nuit à essayer d'imaginer un lien entre Olivia et lui. Je ne peux pas me mettre dans la tête qu'ils sortent ensemble, ce serait vraiment trop... bizarre. Irréel. Il y a forcément autre chose.

Ce matin, j'arrive donc chez madame Rose avec la ferme intention de découvrir qui est vraiment Olivia... et surtout, quelle est sa relation avec Benjamin Côté. En plus, Marie-Pier, Joanie et Kim comptent sur moi. Pas question de les décevoir !

Heureusement, j'ai l'alliée parfaite : madame Rose. J'ai l'impression que les vieilles en général aiment assez fouiller dans la vie des autres. Sinon, pourquoi seraient-elles aussi maniaques de potins ?

Nous sommes à peine entrées chez madame Angélique que madame Rose passe aux choses sérieuses.

— Alors, Olivia, tu me disais que tu viens de Lévis ?

Parfait, on dirait qu'elle a décidé de faire tout le travail à ma place. Je regarde Olivia avec un sourire en coin. Elle fait semblant de ne pas me voir, mais sa bonne humeur a quelque chose d'un peu forcé.

— Oui, c'est ça, je viens de Lévis.

— Qu'est-ce que tu fais ici, alors ? Lévis, ce n'est pas à la porte !

— Non, mais j'avais justement envie de m'éloigner un peu.

— Pourquoi ?

Décidément, madame Rose est un as. Ses questions sont tellement directes qu'il n'y a pas moyen de les contourner. Le sourire d'Olivia ressemble de plus en plus à une grimace. Je savoure.

— Je devais passer l'été avec mon père, mais disons qu'entre lui et moi, ça ne marche pas toujours fort fort…

— Tes parents sont séparés ?

— Oui. Et ça ne marche pas tellement bien avec ma mère non plus.

Là, j'avoue que je ressens un petit peu de compassion pour elle. Mais juste un peu.

Madame Rose ne lâche pas le morceau. Je sens que je vais bientôt avoir réponse à toutes mes questions.

— Mais pourquoi ici ? Et pour travailler, en plus ! Tu n'aurais pas plutôt préféré aller dans un camp de vacances ?

Olivia dans un camp de vacances ! Elle est bien bonne, celle-là ! Non mais, elle ne l'a pas regardée ou quoi ? J'ai beau ne pas la connaître, ou à peine, je sais qu'elle n'est pas du tout le genre à aller dans un camp de vacances. Et puis, on a un peu passé l'âge, il me semble !

Olivia soupire, puis lâche le morceau :

— Je suis venue passer l'été chez mon oncle. Je suis la nièce de François Côté.

... donc, la cousine de Benjamin.

Voilà. Tout est clair. Je *savais* qu'ils ne pouvaient pas sortir ensemble !

Je suis contente de savoir enfin de quoi il retourne, mais je reste sur ma faim. Moi qui m'attendais à quelque chose de croustillant, qui aurait occupé notre conversation pendant des heures, mes amies et moi, je trouve que l'histoire de cousin-cousine, c'est plutôt ordinaire...

J'ai parlé avec Marie-Pier tout l'après-midi, ou presque. Si ma mère le savait, elle en ferait une syncope. Pour elle, il serait parfaitement inacceptable que je téléphone à mon amie pendant mes heures de travail. Je ne vois pas pourquoi : le ménage était fait (pas par moi, je ne le fais jamais, mais madame Rose insiste tout le temps pour ramasser le peu de choses en désordre avant d'aller s'allonger), le souper déjà prêt dans le réfrigérateur (madame Rose avait tout préparé la veille) et tant qu'à regarder des inepties à la télé, pourquoi est-ce que je n'aurais pas fait passer le temps avec ma meilleure amie au bout du fil ? Il faut bien que j'entretienne mon réseau social, non ? Et ce n'est pas comme si madame Rose s'en était aperçue, elle a dormi tout le temps !

Toujours est-il que quatre heures ont fini par arriver. Je referme la porte de la maison grise derrière moi en retenant un soupir de soulagement. Une autre journée de passée ! Au même moment, Olivia sort de chez madame Angélique. Voilà ma chance d'en apprendre plus sur elle. Je trouverai peut-être quelque chose de plus intéressant à me mettre sous la dent que son lien de parenté avec Benjamin…

— Salut, Olivia ! Grosse journée ?

Elle me rejoint lentement, l'air un peu méfiante.

— Salut. Non, ça s'est bien passé. Et toi ?

— Oh, tu sais, moi, les vieilles…

Elle fronce les sourcils. Pas longtemps, une fraction de seconde seulement, mais c'est assez pour que je le remarque. Olivia n'aime pas qu'on traite les « personnes âgées » de vieux… exactement comme ma mère ! Rien pour me la rendre plus sympathique !

— Pourquoi tu travailles chez elle, alors ?

— Ma mère m'y a obligée.

Est-ce que je vais apprendre un jour à réfléchir avant de parler ? Encore une fois, les mots ont à peine franchi mes lèvres que je regrette de les avoir prononcés. Qu'est-ce qu'Olivia va penser de moi ? « Ma mère m'y a obligée », franchement ! D'accord, c'est la vérité, mais j'aurais pu trouver autre chose, ou au moins une autre façon de le dire ! J'ai l'air de la petite fille qui obéit toujours à sa maman… Beurk ! En plus, je sens que ce n'était vraiment pas la chose à dire pour me mettre dans les bonnes grâces d'Olivia et réussir à lui soutirer des confidences…

Heureusement, elle ne relève pas. Je me dépêche d'ajouter :

— Tu sais ce que c'est, les mères… On voudrait bien pouvoir s'en passer, mais il faut vivre avec !

— Exactement.

Bon, pas très loquace, cette fille-là. Si je veux savoir quelque chose, il va falloir que j'y aille plus directement. Après tout, ça a fonctionné pour madame Rose…

— C'est quoi, toi, ton problème avec ta mère ?

— Pourquoi je te le dirais ?

Oups ! Manqué. Je n'ai jamais vu un pareil air bête de toute ma vie.

— C'est correct, si tu ne veux pas en parler, pas besoin de grimper dans les rideaux !

— Et toi, tu me le dirais, c'est quoi ton problème avec ta mère ?

J'arrête de marcher, me plante devant elle et débite presque sans respirer :

— Elle a peur… non, elle a une PHOBIE que je tombe enceinte avant de finir mon secondaire et que je lâche l'école, parce que c'est ce qu'elle a fait et que ça lui a gâché sa vie. MOI, je lui ai gâché sa vie. Maintenant, il faut qu'elle vive avec cette erreur-là pour le restant de ses jours et ça nous rend malheureuses toutes les deux. Voilà. À ton tour, maintenant.

Olivia me regarde pendant quelques secondes en silence.

— Quoi ? Tu penses que j'ai inventé ça ?

— Non… C'est juste que je trouve ça plutôt triste, comme histoire…

— Arrête, ce n'est pas la fin du monde ! Ça fait seize ans que je vis avec elle, j'ai fini par m'habituer. En plus, je pars pour le cégep dans un an, et je te garantis que ça va être très loin d'ici. Elle va être soulagée, et moi encore plus !

C'est vrai, je ne vis que pour le jour où je vais pouvoir déposer mes bagages dans un appartement à moi, loin de ma mère et de ses obsessions, et pouvoir enfin vivre ma vie comme je l'entends. J'en rêve depuis ma première journée au secondaire.

— Bon, je t'ai dit ce que tu voulais savoir, à ton tour maintenant. Chez madame Angélique, tu disais que ça n'allait pas fort avec ton père. Pourquoi ?

Olivia se remet à marcher.

— Oh, un peu comme toi… J'imagine qu'il n'était pas prêt à avoir des enfants quand je suis née. J'ai toujours eu l'impression que je le dérangeais. Depuis que ma mère et lui sont séparés, il s'arrange pour m'avoir dans les pattes le moins souvent possible. Et comme c'est chez lui que je devais passer l'été, j'ai préféré partir. Habiter deux mois avec quelqu'un qui aurait envie de me savoir ailleurs, ça ne me tentait vraiment pas.

Elle avait le choix de rester ou de partir, elle, au moins… J'aurais donné n'importe quoi pour passer mon été ailleurs, moi aussi ! Quoique… je n'aurais pas eu Jonathan.

— Et ta mère ? Qu'est-ce qui ne tourne pas rond avec elle ?

— C'est plutôt avec son chum que ça accroche. Ou plutôt, avec la fille de son chum. Ils sont partis tous les trois en vacances. Ils m'avaient invitée, mais cette fille-là, je ne peux pas la sentir. Maman s'imaginait qu'on deviendrait amies parce qu'elle a le même âge que moi. Elle me connaît vraiment mal !

— Elle a un nom, cette fille-là ?

— Mélodie.

— Et qu'est-ce qu'elle a qui t'énerve tant, cette Mélodie ?

— Elle est hyper superficielle ! À l'entendre, il n'y a rien de plus important au monde que ce que les gens vont penser d'elle. Ça doit lui prendre deux heures à choisir son linge le matin, et au moins autant à se maquiller et à se coiffer. Superficielle, je te dis… Tiens, elle serait en plein ton genre !

Quoi ! ? Si ce n'est pas une insulte, ça, je me demande bien ce que c'est !

D'ailleurs, au sourire narquois qu'elle me lance avant de s'éloigner d'un pas rapide, je devine que c'était exactement son but : m'insulter. Probablement pour se venger de mon indifférence à la crémerie.

Très bien. Si c'est ce qu'elle veut… La guerre est officiellement déclarée !

Chapitre 6

Mes amies ont été tellement impressionnées par mon efficacité qu'elles m'ont confié une deuxième enquête. Celle-là sera à la fois plus facile et plus difficile à réaliser. Plus facile car j'aurai la réponse encore plus rapidement et sans me casser la tête, et plus difficile parce que je ne suis pas certaine du tout d'aimer ça.

Marie-Pier, Kim et Joanie crèvent d'envie de savoir à quoi ressemble la chambre de bébé de madame Rose. Elles sont fascinées par cette histoire alors que moi, ça me donne la chair de poule de savoir que je passe le plus clair de mon été dans une maison où plane un fantôme. Brrr…

J'ai repoussé le plus possible le moment de faire ma demande à madame Rose, mais maintenant que sa sieste est terminée et que ma journée finit dans une heure, il est temps de faire une femme de moi.

— Madame Rose ?

— Oui, Alissa ?

— Vous m'aviez promis que vous me montreriez la chambre de votre bébé, un jour…

« Promis », c'est peut-être un grand mot, mais ça lui met un peu de pression… Pression inutile, d'après l'empressement qu'elle met à me répondre.

— Oh, veux-tu la voir tout de suite ?

Elle a l'air ravie que je lui aie posé la question. J'ai presque honte. Si elle savait à quel point je n'ai pas envie d'y entrer, dans cette chambre…

Madame Rose se lève et me fait signe de la suivre. Je monte l'escalier derrière elle avec l'impression d'avoir un peu plus la chair de poule à chaque marche. Elle, on dirait qu'elle marche sur un nuage.

Quand elle met la main sur la poignée d'une porte fermée en annonçant « C'est ici », j'aurais envie de lui demander d'attendre un peu, le temps que je me prépare mentalement à ce que je vais voir. Mais elle ouvre avant que j'aie prononcé le moindre mot. Tant pis. Je prends une grande inspiration et j'entre.

J'ai un choc. Mais pas celui auquel je m'attendais.

Je croyais découvrir un berceau, une table à langer et des nounours sur des étagères. Je m'attendais à me retrouver entourée de rose bonbon, le genre de rose qui donne un peu mal au cœur. J'étais certaine de découvrir une espèce de temple à la mémoire de cette petite fille qui n'a jamais existé et qui a hanté sa mère toute sa vie... J'étais dans le champ, et pas à peu près.

D'accord, c'est rose, mais à peine. La couleur est tellement pâle que ça se rapproche plus du blanc. Il n'y a rien qui donne l'impression que ça a déjà été une chambre de bébé, sauf peut-être la chaise berçante. Et encore, une chaise berçante, on en trouve dans tous les salons ou presque...

Les rideaux de dentelle laissent passer une douce lumière de carte postale. Je devine que madame Rose et son mari avaient choisi la pièce la mieux éclairée de la maison pour leur enfant. On se sent bien dans cette chambre. C'est... paisible. Reposant. On a l'impression de mieux respirer quand on y entre. Moi qui m'attendais à me sentir oppressée...

Madame Rose rayonne.

— Qu'est-ce que tu en penses ?

— C'est super beau.

J'aurais répondu la même chose si j'avais pensé le contraire, mais je suis sincère. Honnêtement, j'aimerais beaucoup avoir une chambre comme celle-là. Ce qui me fait ajouter sans réfléchir :

— Ça ne ressemble pas tellement à une chambre de bébé, je trouve…

— Non, c'est vrai. Je l'avais décorée pour qu'elle serve longtemps. J'imaginais déjà ma Marguerite adolescente… C'est vrai que j'ai changé quelques petites choses avec les années. La peinture s'était un peu défraîchie, et j'ai enlevé le lit de bébé, ça me faisait trop mal au cœur de le voir là.

Elle est forte, madame Rose. Quand elle parle de son enfant, on sent toute sa peine et pourtant, rien ne paraît dans sa voix ou dans ses yeux. Heureusement. Je me demande ce que je ferais s'il fallait qu'elle se mette à pleurer…

Les ragots de mes amis à la crémerie, quand ils disaient que madame Rose a la réputation de parler à ses fantômes, me reviennent à l'esprit. S'il y a une chose dont je suis certaine en ce moment, c'est que cette femme qui reste si digne dans sa douleur n'est pas plus folle que moi. Blessée, meurtrie, avec une grande cicatrice au cœur, oui, mais folle ? Jamais.

Comme si elle avait lu dans mes pensées, madame Rose s'assoit dans la chaise berçante et continue, en regardant par la fenêtre :

— Je sais que ça peut paraître bizarre d'avoir gardé cette pièce libre toutes ces années. Il y a même plein de gens qui diraient que je n'ai pas toute ma tête, je sais… mais moi, ça me fait du bien de venir ici. C'est ma bulle. Quand ça va mal, je viens me bercer et j'ai l'impression que tout va s'arranger. Et tout s'arrange tout le temps.

Quand je pense que j'ai encouragé mes amis dans leurs jugements, que je leur ai dit que madame Rose se parlait toute seule, que j'ai tout fait pour qu'ils croient qu'elle est vraiment folle… juste pour me rendre intéressante ! Là-bas, à la crémerie, je ne voyais aucun mal à déguiser un peu la vérité ; ici, avec madame Rose, j'ai honte de moi.

— Je vais te dire quelque chose, Alissa. Quand tu as perdu les deux personnes que tu aimais le plus au monde, après, plus rien ne semble grave. Il n'y a plus de problème vraiment sérieux. Mais des fois, j'oublie. Des fois, de petits détails me font rager ou m'inquiètent… Alors, je viens m'asseoir dans cette chaise et je me rends compte qu'il n'y a pas là de quoi m'empoisonner la vie.

— J'aurais besoin d'une chaise comme ça, moi aussi.

Qu'est-ce qui m'a pris de dire ça ? Non mais, qu'est-ce qui m'a pris ? Maintenant, madame Rose va me poser plein de questions sur ma vie privée, elle va vouloir se mettre le nez dans mes affaires, connaître mes problèmes… Je ne pourrais pas réfléchir, des fois, avant de parler ? Surtout pour dire de pareilles bêtises !

Madame Rose me sourit mais ne relève pas. Je vole de surprise en surprise, aujourd'hui. Pourquoi n'a-t-elle rien dit ? Parce que mes petits problèmes lui paraissent insignifiants à côté des siens ? Parce que le fantôme de Marguerite prend tellement de place dans cette pièce qu'elle ne m'écoute pas vraiment ?

— Bon, il est temps de redescendre, non ? Il est quatre heures, je ne voudrais pas te retenir plus longtemps.

J'avais complètement oublié que ma journée s'achevait.

Et c'est drôle, moi qui venais dans cette chambre pour faire plaisir à mes amies, maintenant, je n'ai plus du tout envie de leur en parler.

Je n'arrive pas à dormir. C'est fou, on dirait que je sens la présence du fantôme de Marguerite dans ma chambre, alors que je ne la sentais pas du tout dans la sienne.

Ce n'est pas épeurant, c'est juste… troublant.

Ce soir, mes amies m'ont fait raconter ma visite dans la chambre de bébé. En fait, elles voulaient entendre des détails qui n'existent pas. Au début, je me suis un peu fait prier. J'avais la vague impression qu'elles allaient complètement brouiller l'image que je gardais de la fameuse chambre. Raconter, décrire, pour moi, c'était presque comme les faire entrer dans la maison de madame Rose, dans cette pièce réservée à Marguerite, et quelque chose me disait que madame Rose n'aurait pas aimé ça. Elle ne sait rien de Kim, Joanie et Marie-Pier. Je suis sûre qu'elle ne laisse pas entrer n'importe qui dans la chambre de Marguerite et que mes amies n'auraient pas la moindre chance de se faire inviter. Moi, elle me connaît, elle me fait confiance. À tort, probablement. La preuve, j'ai fini par tout raconter, et même plus. Pour faire plaisir à mes amies et par habitude, j'ai inventé un peu. Je crois que, finalement, j'ai décrit la chambre que j'avais imaginée plutôt que la chambre réelle. Plus la conversation avançait, plus j'en mettais. Je commençais même à me croire moi-même.

Jusqu'au moment où Joanie a éclaté de rire en s'écriant :

— Elle est vraiment folle, ta vieille !

Là, je me suis rendu compte que j'étais allée un peu trop loin. Beaucoup trop loin, même. Et pour la première fois, ça m'a dérangée que quelqu'un traite madame Rose de vieille, comme si elle n'avait pas d'autre nom. Et folle en plus... Mais je n'ai pas eu le courage de protester. J'ai ri avec les autres. Seulement, après, je n'ai plus dit un mot sur la chambre ni sur « ma vieille ».

En fait, je crois que je n'ai pas ajouté un seul mot de la soirée.

Marie-Pier m'a même demandé, avant que je parte, si j'allais bien. J'ai affirmé que oui, évidemment. Qu'est-ce que j'aurais pu répondre ? « Non, ça ne va pas, parce que je n'aime pas qu'on se moque de madame Rose » ? Je ne fais que ça, me moquer de madame Rose, depuis trois semaines ! C'est moi que Marie-Pier aurait traitée de folle !

Mais ce n'est pas ça qui m'empêche de dormir. madame Rose ne saura jamais ce que j'ai raconté sur elle à mes amies. Non, ce qui m'empêche de dormir, c'est Marguerite. Ou plutôt, la peine de madame Rose par rapport à Marguerite. Je me demande à quel point ma vie aurait été différente si j'avais eu une mère comme madame Rose, qui m'aurait voulue, qui aurait planifié ma naissance, qui aurait fait de moi le centre de son univers… Je ne dis pas que je ne suis pas importante pour ma mère, mais disons que je suis au centre de sa vie pour les mauvaises raisons. Parce qu'elle s'inquiète pour moi quand je rentre tard, parce qu'elle se demande tout le temps où je suis et avec qui, parce qu'elle n'a aucune idée – et moi non plus – de ce que je vais devenir plus tard, parce que ma façon de ne jamais l'écouter quand elle me parle la rend dingue... Bref, je prends le même genre de place dans sa vie que le cancer dans celle d'un malade en phase terminale.

J'exagère à peine.

Ce n'est pas la première fois que je me pose des questions sur ce qu'aurait été ma vie avec une autre mère, ou si ma mère avait su garder mon père dans le décor. Mais ce soir, c'est différent. Dans la chambre de Marguerite, j'ai vraiment senti quelque chose. Malgré toutes les années écoulées, madame Rose l'aime encore, sa fille. Et ça n'a rien de morbide. C'est très doux, presque apaisant. Comme si cet amour-là s'étendait aux autres autour d'elle, comme une grande couverture pour les garder au chaud.

Alors que moi... moi, ma mère regrette que j'existe. C'est dur à avaler, mais c'est comme ça.

Chapitre 7

Fin de semaine plate ! Marie-Pier est partie magasiner en ville avec sa mère, Joanie et Kim accompagnent leurs chums à un tournoi de soccer et Jonathan participe à ce même tournoi. Moi, pas de danger que ma mère me laisse y aller… Mon chum est le meilleur joueur de son équipe et je ne suis même pas là pour l'encourager ! J'ai eu beau supplier ma mère, elle n'a pas fléchi. Partir une fin de semaine complète avec des GARS, non mais y pensez-vous ? Des plans pour que je revienne enceinte ! Pas question de courir ce risque !

Ma chère mère n'a jamais pensé que je pourrais tomber enceinte n'importe où. Pas besoin de sortir du village pour que ça m'arrive. De toute façon, je n'ai pas encore fait l'amour avec Jonathan. Ça fait quand même juste quelques semaines qu'on sort ensemble… Une chance qu'elle ne sait pas que je sors avec lui, sinon elle m'enfermerait dans ma chambre pour le reste de l'été !

Cela étant dit, il reste que je suis toute seule pour la fin de semaine et ça me pèse sur le cœur. Deux jours gaspillés…

Au moins, il y en a un de passé. Presque. Mon samedi s'est étiré comme un lundi de novembre. Je croyais que je n'en verrais jamais la fin. D'ailleurs, il n'est pas encore fini, il n'est que neuf heures, et pas question que j'aille me coucher tout de suite. Tant qu'à rester étendue sur mon lit à ruminer ma solitude, aussi bien sortir.

Évidemment, en m'entendant mettre mes souliers, ma mère ne peut s'empêcher de me passer un interrogatoire :

— Tu t'en vas où, Alissa ?

— Marcher.

— Avec qui ?

— Avec personne ! Tout le monde est parti pour la fin de semaine, au cas où tu aurais oublié !

Elle fait comme si de rien n'était, comme si ce n'était pas sa faute si je me retrouve ici à tourner en rond pendant que mes amis s'amusent ailleurs.

— Et tu vas où, au juste ?

— Je ne sais pas, moi, sur la plage !

— Tu vas revenir tard ?

— J'en ai aucune idée ! Bonne nuit !

Elle m'énerve. Elle m'énerve, elle m'énerve ! ELLE M'ÉNERVE !

Complètement survoltée, je marche presque au pas de course. Du coup, c'est sûr que je ne dormirai pas de la nuit. Pas avec les nerfs à vif comme ça, avec la voix fatigante de ma chère maman qui me résonne dans les oreilles…

La plage est déserte. Il fait presque noir. Il fait froid. Je frissonne. Tant pis. Pas question que je retourne déjà chez moi.

Au loin, j'aperçois un grand tronc d'arbre échoué sur la plage. Ça me rappelle un jeu auquel je jouais avec Marie-Pier quand nous étions petites. Quand on voyait un tronc d'arbre comme celui-là, on se prenait la main sans dire un mot, on faisait un vœu en silence, puis on se mettait à courir et on sautait par-dessus. Un jeu débile, quand on y pense. Je me demande pourquoi ça nous faisait rire autant…

Il doit y avoir une partie de moi qui est restée un peu enfant (ou un peu débile), à en croire l'énergie que je mets soudain à courir vers ce tronc d'arbre. Il n'est pas si gros, finalement. Ceux de mon enfance étaient-ils vraiment plus imposants, ou est-ce moi qui étais beaucoup plus petite ?

Plus j'approche, plus il me semble bizarre, ce tronc d'arbre. Je commence à ralentir.

— AHHHHHH !

Il a bougé ! Le tronc d'arbre a bougé ! Du coup, j'arrête de courir… tellement sec que je me retrouve le nez dans le sable.

Le tronc d'arbre se lève et vient vers moi. Évidemment, ce n'est pas un vrai tronc d'arbre.

— Hé, ça va ?

Je connais cette voix, mais de là à mettre un nom dessus…

— Alissa ?

Oh nonnnn… Benjamin Côté ! Le cousin d'Olivia ! Elle n'a pas fini de rire de moi !

Il me tend la main, mais je me relève toute seule. Plutôt mourir que d'accepter son aide. Je suis déjà assez humiliée comme ça.

— Salut, Benjamin.

— Tu t'es fait mal ?

— Non, non. Mais toi, qu'est-ce que tu faisais là ?

Ouf, j'ai réussi à retourner la situation. C'est maintenant lui qui semble mal à l'aise.

— Moi ? Rien.

— Rien ? C'est drôle, moi, quand je ne fais rien, je préfère que ce soit dans ma chambre ou dans mon salon, pas couchée sur le sable en pleine noirceur…

Je ne sais pas ce qui m'arrive. Moi qui n'ai jamais dit plus de trois mots d'affilée à Benjamin Côté, me voilà partie en pleine discussion. Ma chute doit m'avoir ramolli le cerveau.

Benjamin sourit. Pas un sourire délirant, mais un début d'étirement des lèvres, et encore, juste d'un côté de la bouche. Quand même, quand on connaît Benjamin, c'est un événement.

— Si tu veux tout savoir, j'attendais les étoiles.

Il « attendait les étoiles » ? Je ne suis pas la seule à avoir un cerveau ramolli…

Devant mon air perplexe, il précise :

— J'aime ça, regarder les étoiles. J'ai le droit, non ?

Son ton n'est pas agressif, plutôt embarrassé. Je sens que je viens de percer un secret. Quelque chose me dit qu'il n'y a pas grand-monde qui sait que Benjamin Côté passe ses soirées dehors le nez en l'air à regarder le ciel.

— Je n'ai jamais dit que tu n'avais pas le droit… Fais ce que tu veux, c'est ta vie !

J'aurais envie d'ajouter « et je m'en fous royalement », mais je me retiens juste à temps, pour une fois. De toute façon, il doit s'en douter. Et il doit penser la même chose à mon sujet.

— Bon, alors, je vais te laisser regarder tes étoiles… Bonne soirée !

— C'est ça, bonne soirée.

En revenant sur mes pas, je me dis qu'il y avait quelque chose de vraiment bizarre dans cette conversation. Comme si elle ne s'était pas vraiment passée, comme si j'avais rêvé cette rencontre avec Benjamin. Il lui manque des tuiles, à ce gars-là, c'est certain. Je ne connais personne d'autre qui choisirait de passer ses soirées dans le noir et le froid, tout seul, juste pour regarder le ciel…

Mais bon, c'est sa vie, comme je disais. Il en fera bien ce qu'il voudra.

J'ai essayé de convaincre madame Rose qu'on pourrait sauter une journée pour ses visites chez madame Angélique, mais ce fut peine perdue : ces deux-là ne peuvent pas vivre l'une sans l'autre. Moi qui voulais à tout prix éviter Olivia, je me retrouve donc assise dans le salon de madame Angélique à neuf heures du matin, devant une pleine assiette de sucre à la crème. J'attends le coup fatal, mais il ne vient pas. En fait, c'est à peine si

Olivia me regarde. Elle n'est visiblement pas au courant de ma mésaventure. Pour en être sûre, je lance, mine de rien :

— J'ai rencontré ton cousin samedi soir, Olivia.

Elle fronce les sourcils.

— Benjamin ? Où ça ?

Ouf ! Benjamin ne lui a rien raconté ! Du coup, je respire mieux.

— Sur la plage. Je me promenais et je suis tombée sur lui.

C'est le cas de le dire ! Je continue :

— Il m'a dit qu'il regardait les étoiles…

— Et alors ? Tu dis ça comme si tu ne le croyais pas. Il a bien le droit de regarder les étoiles s'il veut, non ?

Mon Dieu, elle est bien agressive, tout à coup ! Madame Rose et madame Angélique nous regardent avec des yeux ronds. Il y a de quoi. Olivia et moi avons à peine échangé trois phrases devant elles depuis le début de l'été, et la voilà prête pour la guerre. Elles n'ont encore rien vu : moi aussi, je peux attaquer. Je fronce les sourcils.

— Qu'est-ce qui te prend ? Je n'ai jamais dit que je ne le croyais pas ! Mais avoue que c'est bizarre de passer la soirée tout seul couché sur le sable à regarder les étoiles...

— Ce n'est pas bizarre du tout !

Elle a vraiment l'air de vouloir sortir ses griffes, la cousine échevelée.

— Voyons, Olivia, calme-toi ! Je ne vois pas ce que j'ai dit de si épouvantable !

Elle hausse les épaules.

— Ce n'est pas ce que tu as dit, c'est ta façon de le dire qui me dérange.

Madame Rose et madame Angélique nous regardent à tour de rôle, captivées, tournant la tête d'un côté puis de l'autre comme si elles suivaient un match de tennis.

— Quoi ? Quelle façon ?

— Comme si tu trouvais que Benjamin n'est pas normal.

C'est vrai que je me pose des questions, mais je ne l'avouerais pour rien au monde. Me faire écorcher vive ne fait pas partie de mes plans pour la journée.

— Franchement, Olivia...

— Je pense qu'elle a un peu raison, Alissa.

Bon, madame Rose qui se met de la partie ! Elle n'aurait pas pu continuer à être une simple spectatrice ?

— Comment ça, « elle a un peu raison » ?

— C'est vrai que tu avais un drôle de ton de voix, comme si…

— Comme si quoi ?

— Comme si tu te trouvais un peu… supérieure.

Le commentaire de madame Rose, parfaitement inapproprié d'ailleurs, me surprend tellement que je reste la bouche ouverte pendant plusieurs secondes. Puis, pour m'empêcher de dire quelque chose que je regretterais, je me fourre un morceau de sucre à la crème dans la bouche.

Mastique, Alissa, mastique, et surtout, ferme-la…

Olivia, elle, ne se gêne pas pour en remettre.

— C'est vrai, tu as toujours l'air de te trouver tellement mieux que les autres ! Qu'est-ce que ça peut faire si Benjamin aime passer une soirée seul de temps en temps ? Ce n'est pas comme s'il se cachait de tout le monde tout le temps ! Il a plein d'amis !

Plein d'amis, plein d'amis, il faudrait savoir ce qu'elle entend par là ! D'accord, on voit souvent

Benjamin avec d'autres gars, mais ce sont toujours les deux mêmes. Deux amis, ce n'est pas ce que j'appelle une foule ! Mais je n'ai pas le temps de faire de commentaire, puisqu'elle continue sans s'arrêter :

— C'est juste qu'il n'a pas besoin d'être collé à quelqu'un vingt-quatre heures par jour ! Pas comme d'autres…

Malheureusement, j'ai fini mon sucre à la crème. Je réagis aussitôt à cette attaque déguisée :

— Qu'est-ce que tu veux dire, « pas comme d'autres » ?

Olivia hausse une épaule.

— Si tu te sens visée, il y a peut-être une raison, non ?

J'essaie de respirer calmement et de tourner ma langue avant de parler. Pas facile. Je voudrais que madame Rose mette son nez là-dedans, pour arrêter Olivia, mais non : elle se tait. Elle qui parle tout le temps, il semble qu'elle a décidé de me laisser me débrouiller. Charmant.

— Je n'ai PAS besoin d'être « collée à quelqu'un d'autre » tout le temps !

— Ah non ?

— Non !

— Et ce que tes amis pensent de toi, ça ne te fait rien ?

— Non !

— Donc, quand tu n'as pas la même opinion que le reste de la gang, tu le fais savoir ?

— Oui !

Ce n'est qu'un demi-mensonge. J'ai presque toujours la même opinion que le reste de la gang, et les rares fois où c'est le contraire, ça ne vaut pas la peine d'en parler.

Olivia me regarde avec ce petit air arrogant que je déteste, croise les bras et déclare tranquillement :

— Je ne te crois pas.

— Je m'en fous, que tu me croies ou non ! Qu'est-ce que ça peut changer dans ma vie, ce que tu penses ?

Madame Rose, voyant que je suis sur le point d'étrangler Olivia, se décide enfin à intervenir.

— Bon, il serait temps d'aller préparer le dîner, hein, Alissa ?

Son dîner doit être prêt depuis deux jours, attendant juste qu'elle le réchauffe, mais je saute sur l'occasion.

— Oui, on va y aller. Bonne idée.

Je sors de la maison en courant presque, avec l'impression qu'Olivia se moque de moi derrière mon dos.

Chapitre 8

J'ai eu beau me répéter toute la journée que l'opinion d'Olivia n'a aucune importance, que je me fous complètement de ce qu'elle pense de moi, ses commentaires de ce matin n'arrêtent pas de me tourner dans la tête. Et j'enrage. Elle se prend pour qui, à insinuer que je me crois meilleure que les autres et que je ne suis pas capable de penser toute seule ? Elle ne me connaît même pas ! De quel droit est-ce qu'elle porte des jugements sur moi ? Et devant madame Rose, en plus ! Madame Rose qui avait l'air d'accord avec elle !

Plus j'y pense, plus je fulmine. J'ai l'impression que la boucane me sort par les oreilles.

Alors, quand ma mère me demande en me voyant m'habiller : « Tu t'en vas où comme ça ? », je réponds avec mon air le plus bête : « Oh, vas-tu finir par me laisser tranquille ! Je m'en vais au feu avec… Marie-Pier ! » J'ai failli dire Jonathan, je me suis retenue juste à temps. Je ne me sens vraiment pas d'attaque pour un sermon, ce soir.

Je pars en claquant la porte. Ça ne me fait même pas du bien.

Heureusement pour tout le monde, Jonathan a un effet apaisant sur moi. Il est tellement simple, tellement pas compliqué, ce gars-là ! À l'entendre, il n'y a jamais de problème. Rien n'est jamais grave. Quand je lui ai raconté ma dispute avec Olivia, il a éclaté de rire. Sur le coup, c'est vrai, je me suis sentie un peu insultée. Mais il m'a souri, les yeux brillants, et m'a dit de sa belle voix grave : « Ne t'occupe pas d'elle, elle est folle. Et elle ne te connaît pas. Moi, je te connais… » J'ai fondu dans ses bras, et ma colère aussi.

Maintenant, nous sommes au feu, plus collés que des siamois, et je peux enfin dire que je me sens bien. Je ne comprends pas trop l'idée de faire un feu public sur la plage un lundi soir, mais je suis bien contente que quelqu'un l'ait eue, cette idée. C'était exactement ce qu'il me fallait. Ça, et Jonathan. Depuis qu'il a posé ses mains sur moi, j'ai réussi à oublier madame Rose, Olivia et tout le reste. Je flotte sur mon petit nuage.

Mon petit nuage se fait drôlement secouer quand j'aperçois, se dirigeant droit vers moi, la dernière personne que je m'attendais à voir ce soir… et la dernière personne que j'avais *envie* de voir : Olivia. Ou plutôt, Benjamin et Olivia.

L'hypocrite me salue avec son plus beau sourire.

— Salut, Alissa. Ça va ?

Elle n'a même pas la décence d'avoir l'air un peu mal à l'aise. Comme s'il ne s'était rien passé ce matin. Ma mauvaise humeur revient d'un coup.

— Ça allait, oui ! Qu'est-ce que tu fais ici ?

— C'est un événement public, ce feu-là, non ?

— Oui, mais tu n'avais pas besoin de venir t'installer exactement ici, à côté de nous. Il y a de la place ailleurs ! Il y a de la place partout !

Là, quand même, elle perd un peu son sourire. Jonathan me serre contre lui.

— Voyons, Ali, calme-toi…

— Me calmer ? Après ce qu'elle m'a dit ce matin ? Tu le sais, elle m'a carrément accusée de me prendre pour une autre !

— Tu exagères !

— Non, c'est exactement ce que tu as dit !

— Tu as mal compris. Je n'ai pas dit ça. Mais je le pense, par exemple.

Jonathan éclate de rire. Le traître ! Olivia sourit. Je vais la tuer ! Et Benjamin… Benjamin, comme d'habitude, garde son air neutre, l'air de n'avoir aucune opinion sur quoi que ce soit.

Je ne comprends rien. Ce matin, j'aurais juré qu'Olivia me détestait. Pourquoi semble-t-elle vouloir faire amie-amie avec moi, maintenant ? En tout cas, elle peut toujours essayer !

Jonathan enlève sa main de sur ma taille pour prendre deux bières. Je me sens complètement mise de côté.

— Vous en voulez une ?

— Non merci.

Évidemment ! Pas de danger que Mademoiselle Parfaite se salisse les mains au contact d'une bouteille ! Du coup, j'avale une grande gorgée de la mienne. Je n'aime pas la bière, mais j'en boirais une caisse juste pour narguer Olivia. Elle ne voit pas qu'avec ses mains vides, elle a l'air complètement déconnectée ? Complètement nulle !

Benjamin, lui, prend la bouteille que Jonathan lui tend, avec l'air de se demander quoi en faire. Il fait presque pitié. Je le trouvais plus sympathique samedi soir, quand il me parlait de ses étoiles. Olivia a beau dire qu'il a « plein d'amis », ce soir, il a le mot « rejet » étampé sur le front.

Le pire, c'est que ces deux-là ont l'air fermement décidés à rester là, à nous empoisonner la vie. Ils n'ont rien de mieux à faire que de gâcher ma soirée ?

Jonathan ne s'occupe plus de moi du tout. Il discute avec Olivia, rit à la moindre de ses tentatives de blague ; il ne m'a pas regardée une seconde depuis qu'elle est arrivée. Il ne me touche même plus alors qu'habituellement, mon corps semble l'attirer comme un aimant. Depuis la première fois qu'on s'est embrassés, il a toujours une main sur moi, une hanche contre une des miennes, une épaule collée contre une de mes épaules… sauf maintenant. Depuis que la sorcière en noir a fait son apparition, c'est le vide. Le néant. Je n'existe plus. Et j'enrage. Je veux bien qu'il fasse un effort pour être poli, c'est tout à son honneur, mais de là à me délaisser complètement…

Au bout d'une éternité, Olivia se tourne vers Benjamin (qui n'a pas prononcé un mot depuis qu'il a sa bière, dont il n'a bu qu'une gorgée) et demande :

— Bon, on y va ?

C'est ça, oui, débarrassez le plancher, qu'on puisse enfin s'amuser !

Le lendemain, je n'ai toujours pas décoléré. Le fait que je n'aie pas dormi de la nuit, encore une fois, n'arrange pas les choses. Le pire, c'est que je me suis couchée tôt, alors que j'avais prévu veiller sur la plage jusqu'au petit matin avec Jonathan. Tant pis pour le travail : une fille a bien le droit de s'amuser un peu ! Mais après le départ d'Olivia, je ne me sentais plus du tout d'humeur à rester là. On aurait dit que son ombre planait encore. J'avais l'impression d'entendre sa voix toutes les trente secondes. J'étais tellement de mauvaise humeur que même Jonathan ne réussissait pas à me remonter le moral. Au contraire, il me tapait sur les nerfs plus qu'autre chose, à s'amuser sans se rendre compte que je n'avais plus du tout le cœur à la fête… Donc, je me suis retrouvée dans mon lit à minuit. Mais j'étais tellement enragée contre Olivia que je n'ai pas réussi à fermer l'œil.

Ça ne se passera pas comme ça. Il faut que les choses changent, et pas plus tard que maintenant.

J'arrive donc chez madame Rose avec une bonne demi-heure d'avance, moi qui ai plutôt l'habitude de sonner à sa porte avec au moins cinq minutes de retard. Je m'assois discrètement sur la première marche de l'escalier. Je veux attraper Olivia avant qu'elle arrive chez madame Angélique. Pas question de régler mes problèmes devant deux potineuses qui me regarderaient avec des yeux de merlan frit et prendraient position contre moi.

Quinze minutes plus tard, Olivia tourne le coin de la rue. Elle fronce les sourcils en m'apercevant.

— Qu'est-ce que tu fais là ? Il y a un problème ou quoi ?

— Oh, ne fais pas l'hypocrite ! Tu sais très bien c'est quoi mon problème ! Ou plutôt, c'est qui ! À quoi tu jouais, hier ? C'était quoi l'idée de venir gâcher mon feu ?

Elle hausse les épaules.

— Je n'avais pas l'intention de gâcher ton feu. J'avais juste envie de prendre l'air et quand je t'ai vue, j'ai pensé…

Elle hésite un peu, puis continue :

— J'ai pensé que j'avais peut-être été un peu dure, hier matin, alors je…

— Ne me dis pas que tu avais l'intention de t'excuser !

— Non, pas m'excuser, mais je me disais qu'on pourrait peut-être réussir à se parler comme deux personnes civilisées. On va quand même passer une bonne partie de l'été ensemble…

— Malheureusement !

— Alissa, tu pourrais y mettre un peu du tien, non ? Ça serait plus facile pour tout le monde !

On croirait entendre ma mère. Loin de me calmer, sa remarque me met hors de moi.

— Y mettre du mien ! Et toi, est-ce que tu fais un effort ? Tu penses que je n'ai rien vu, hier ? Qu'est-ce qui t'a pris de draguer Jonathan comme ça ? Devant moi, en plus ! Devant tout le monde ! C'est ce que tu appelles y mettre du tien ?

Olivia pouffe de rire. Je l'étranglerais.

— Draguer ton chum ? Tu es folle ! C'est lui qui me draguait !

La colère me fait suffoquer. La colère ? La fureur plutôt ! J'en perds presque mes mots.

— Jonathan ? Te draguer ? Es-tu tombée sur la tête ? Il ne te toucherait pas si tu étais la dernière fille sur la terre !

— Ouvre-toi les yeux, Alissa. Il n'est pas sérieux, ce gars-là. Pour le moment, il est bien avec toi, mais ça ne prendrait pas grand-chose pour qu'il change d'idée.

Je n'en reviens pas. Au lieu de s'excuser pour sa conduite d'hier, elle en rajoute.

— Tu es complètement malade ! Tu lui as parlé dix minutes et tu penses que tu le connais ! Et puis quoi, tu t'imagines que tu pourrais le faire « changer d'idée », comme tu dis ? Ha ! Il ne s'abaisserait jamais à être vu avec toi, même si on le payait !

T'es-tu regardée comme il faut ? Qu'est-ce qu'un gars comme Jonathan ferait avec un épouvantail comme toi ?

J'ai enfin réussi à la faire taire. Elle me jette un regard… un regard qui me fait taire, moi aussi. Un regard tellement triste que je regrette presque mes paroles. Presque. Je voulais la blesser, j'ai réussi. Un peu trop bien, peut-être. Au bout de plusieurs secondes, elle articule lentement, presque tout bas :

— Tu es méchante.

Puis, avant que j'aie le temps de répliquer, elle ajoute d'une voix plus forte :

— De toute façon, il aurait beau me supplier à genoux, ton Jonathan, je ne le laisserais jamais me toucher. C'est le genre de gars qui ne s'intéresse qu'à lui. Je ne le supporterais même pas toute une journée.

— Il va bien avec moi, alors.

À ma grande suprise, elle réplique d'une voix presque douce :

— Je n'ai pas dit ça.

Et elle s'éloigne de son pas décidé, droite comme un I.

J'ai réussi à la démolir. Pourtant, je reste sur l'impression désagréable que c'est elle qui a gagné la partie.

L'avant-midi se déroule comme tous les avant-midi depuis que madame Angélique est revenue de vacances : dans son salon, à ignorer l'assiette de sucre à la crème qui traîne sur la petite table. Aujourd'hui, cependant, madame Rose et madame Angélique sentent que quelque chose ne va pas. L'orage gronde entre Olivia et moi, c'est évident. L'orage gronde *en moi*, surtout. Je vais exploser à la moindre étincelle, je le sais. Nous le savons toutes les quatre. Alors, chacune marche sur la pointe des pieds.

Pour détendre un peu l'atmosphère, madame Angélique apporte un grand coffret de bois.

— Regardez, il faut absolument que vous voyiez ça. C'est un coffret pour ranger mon album de *scrapbooking*. Il est tellement beau, je n'en reviens pas !

Peut-être, mais moi, j'en reviens assez vite. Elle ne s'imagine quand même pas que je vais me pâmer toute la journée devant une boîte de bois ?

C'est pourtant ce que madame Rose semble décidée à faire. Elle passe au moins trois minutes à s'extasier sur les motifs du coffret, sur la couleur du bois, sur la finesse des détails… À mourir d'ennui.

Olivia me regarde tout à coup d'un air bizarre. D'autant plus bizarre qu'elle ne m'a pas jeté un seul coup d'œil depuis mon arrivée ici. Elle me fixe comme si elle voulait me dire quelque chose avec ses yeux. Désolée, mais je ne suis pas d'humeur à jouer aux devinettes, surtout pas avec elle.

J'aboie un « Quoi ? » qui fait sursauter madame Rose. Olivia elle-même semble prise au dépourvu. Elle se reprend rapidement et m'annonce :

— C'est Benjamin qui l'a fait.

— Qui a fait quoi ?

Moi, si quelqu'un me répondait comme je viens de le faire, j'arrêterais la conversation aussi sec. Mais Olivia a la tête dure.

— Le coffret.

Je lève les yeux au ciel.

— Ben oui, j'imagine !

— C'est vrai, je te jure !

Qu'est-ce qu'elle a à me parler de son cousin ce matin ? Est-ce qu'elle s'imagine que parce que je le connais, on a une espèce de lien, elle et moi ? On dirait qu'elle essaie d'acheter une trêve. Si elle pense que je vais lui pardonner ce qu'elle m'a dit sur Jonathan... Et est-ce qu'elle croit vraiment que je vais avaler son histoire ? Benjamin qui aurait fait ce coffret-là ! Franchement ! Elle aurait pu trouver autre chose !

Devant mon air plus que sceptique, madame Angélique s'en mêle.

— C'est vrai, Alissa. C'est Benjamin qui a fait ce coffret pour moi. Je savais qu'il travaillait le bois, alors je lui ai passé ma commande… mais je ne croyais pas qu'il était habile à ce point-là. C'est extraordinaire, non ?

Elle a beau me regarder avec son grand sourire et ses yeux de grand-mère gâteau qui préférerait aller en enfer plutôt que de mentir, je n'arrive pas à croire ce qu'elle me dit. Comme si mon cerveau refusait de comprendre la vraie signification de ces mots-là. « Benjamin a fait ce coffret de bois… » Non, c'est impossible. Benjamin Côté a toujours été moyen en tout. Toujours. Il ne s'est jamais démarqué dans quoi que ce soit à l'école, pas plus en arts plastiques qu'ailleurs. Il n'a rien d'un artiste. Il n'a rien de quelqu'un qui pourrait fabriquer quelque chose d'aussi beau que ce coffret. Comment aurait-il pu cacher un pareil talent pendant tout ce temps ? S'il pouvait créer des objets comme celui-là, tout le monde le saurait, non ?

Madame Angélique, madame Rose et Olivia sont là toutes les trois à me regarder et à attendre mon prochain mot, mon prochain geste. Pour avoir la paix, je m'empare du fameux coffret. C'est vrai qu'il est superbe. Il est juste de la bonne taille pour contenir l'album de madame Angélique. Et il y a son nom gravé dessus. Bon, d'accord, j'admets que ce bijou a dû être fait sur mesure pour elle, mais par Benjamin ? Non.

— Vous êtes sûres que ce n'est pas son père qui l'a fabriqué ?

Son père est menuisier et gérant de la quincaillerie du village. Ça, je pourrais le croire.

— Non, son père est bon mais pas autant que Benjamin. C'est lui l'artiste, je te jure !

Je ne comprends pas pourquoi elle tient tant à ce que j'avale son histoire. Est-ce qu'elle a senti que je considère son cousin comme un parfait insignifiant ?

Madame Rose, les yeux pétillants, répond à ma place :

— Il faudrait qu'elle le voie travailler. Ça, ça la convaincrait.

— Oh oui ! renchérit madame Angélique. Très bonne idée ! Emmène-la avec toi à quatre heures, Olivia, et montre-lui !

Un peu plus et elles battraient des mains comme des enfants de trois ans. « Montre-lui », franchement, comme si Benjamin était un animal de zoo ! Et est-ce qu'elles s'imaginent vraiment que je meurs d'envie de le voir s'amuser avec des bouts de bois ? Ou, pire, est-ce qu'elles croient qu'en partant avec Olivia à la fin de ma journée, je vais tout à coup me découvrir un paquet de points en commun avec elle et que nous allons devenir les meilleures amies du monde ? Pas de danger ! D'ailleurs, à voir la tête que fait Olivia, l'idée ne l'enchante pas plus que moi. Nous nous sentons toutes les deux prises au piège.

En tout cas, peu importe les véritables motivations de nos vieilles dames, je sens que je n'aurai pas la paix tant que je n'accepterai pas leur proposition. Je promets donc, à contrecœur et du bout des lèvres, d'accompagner Olivia chez Benjamin à la fin de la journée.

Rien ne m'empêche de partir de mon côté dès que nous aurons tourné le coin de la rue…

Le problème, c'est qu'il est loin, le coin de la rue. Et je suis sûre que madame Rose s'est postée à la fenêtre pour s'assurer que je resterais avec Olivia jusqu'au bout. Les premières minutes s'écoulent en silence, interminables. J'ai beau marcher le plus vite possible, il me semble que je n'y arriverai jamais, à ce coin de rue.

C'est Olivia qui parle la première. Évidemment. Il n'était pas question que j'entame la conversation.

— Tu n'es pas obligée de venir, tu sais. J'imagine que ça ne te tente pas tellement…

— Ah, tu penses ?

— Oh, Alissa Martin, arrête donc de faire la snob trente secondes ! Il n'y a pas moyen de parler, avec toi !

— Ça ne t'est jamais passé par la tête que peut-être je n'ai pas *envie* que tu me parles ?

— Et toi, ça ne t'est jamais passé par la tête que tu aurais peut-être quelque chose à gagner à être un peu plus aimable ?

— Quelque chose à gagner ? Comme quoi ?

— Premièrement, tu aurais l'air moins bête. Ce serait déjà une bonne chose. Deuxièmement…

Au lieu de finir sa phrase, elle pousse un gros soupir.

— Tu m'en veux pour ce matin, c'est ça ? J'ai juste dit que Jonathan est le genre de gars qui ne pense qu'à lui, ce n'est pas si terrible…

— Pas juste pour ça. Disons que je trouve qu'on n'a pas grand-chose en commun, toi et moi.

— C'est là que tu te trompes. On se ressemble beaucoup. Et c'est ça le problème.

Du coup, j'arrête de marcher.

— ON SE RESSEMBLE BEAUCOUP ? Tu es complètement MA-LA-DE !

Elle hausse les épaules.

— On a toutes les deux une mère qui aimerait mieux nous voir ailleurs, oui ou non ?

Je me remets à marcher, deux fois plus vite qu'avant.

— Tu parles de nos mères, pas de nous !

— … puis un père qui ne veut pas savoir grand-chose de nous non plus…

— Bon, au tour du père, maintenant !

— … on a toutes les deux un caractère de chien…

— Parle pour toi !

— … et on a toutes les deux tendance à se faire avoir par les beaux gars avec pas grand-chose dans la tête.

Là, j'avoue qu'elle me coupe le sifflet. Et les deux jambes. Je stoppe net, encore une fois. Elle, elle continue. Au bout de quelques secondes, mon moment de stupeur passé, je cours la rejoindre.

— Qu'est-ce que tu veux dire par là ?

Nous sommes enfin au coin de la rue, mais pas question que je la quitte sans avoir eu des explications.

Olivia me regarde dans les yeux. Pour la première fois, je remarque à quel point ils sont bleus sous son maquillage noir.

— Moi aussi, je suis déjà tombée amoureuse d'un gars comme Jonathan. Le genre de gars qui devient fou de toi au premier battement de cils et qui ne veut plus rien savoir après trois semaines. Et moi, la grande nouille, je l'aimais tellement encore… Mon dernier chum, je l'ai aimé dès que je l'ai vu. Le problème, c'est que moi, quand j'aime, c'est pour vrai. Mais qu'est-ce que tu veux, ces gars-là, ils ont beau être gentils, drôles, tout ce qu'on voudra, ils finissent toujours par nous faire mal. Ils ne veulent pas de relation sérieuse. Dès qu'ils sentent qu'on s'attache ou que ça fait un peu trop longtemps à leur goût qu'on leur traîne autour, bye-bye ! On dirait que ça leur fait peur… On s'imagine toujours que cette fois, ça va être différent, qu'on est LA fille qui va les faire changer, mais non, ça finit toujours mal. Le pire, c'est que je me suis fait avoir deux fois avant de comprendre.

— De comprendre quoi ?

— Que le coup de foudre, c'est dangereux. Quand on aime au premier coup d'œil, il faut se méfier. Mon prochain chum, ce sera quelqu'un que j'aurai appris à connaître et à respecter. Pas un gars qui me sera tombé dans l'œil parce qu'il aura des biceps de lutteur ou un visage à jouer les mannequins.

— C'est quoi le rapport avec moi ?

— Tu es vraiment aveugle ou quoi ? Jonathan, c'est exactement ça : un beau visage. Des muscles. Une coquille vide. C'est tout. Ça n'ira jamais nulle part, votre affaire.

— Et alors ? Qui a dit que je voulais que ça aille quelque part ?

Elle hausse les épaules.

— Tant mieux si tu le prends comme ça. Je voulais juste te prévenir… je ne voudrais pas que tu vives la même chose que moi. Mon dernier chum m'a vraiment fait mal. Il me jurait qu'avec moi, c'était différent, qu'il m'aimait vraiment, mais il m'a laissée tomber comme il avait laissé tomber toutes les autres avant moi. C'est dur sur l'orgueil, je t'en signe un papier.

Cette petite brèche dans sa carapace, cette petite fenêtre qu'elle vient d'ouvrir sur sa vie me donne envie d'oublier que je ne l'aime pas, cette fille. Elle n'était pas obligée de me raconter ça. De m'avouer qu'elle s'était fait jeter. Et elle a raison, dans un sens : c'est vrai qu'on a des points en commun. Même s'il ne s'agissait que de nos parents… Les parents, c'est quand même une partie importante de notre vie, qu'on le veuille ou non.

Elle achève de me convaincre en ajoutant :

— En tout cas, je voulais juste te dire que je ne voulais pas mal faire, hier, ni ce matin. Je ne m'y prends pas toujours comme il faut, mais l'intention était bonne.

— Justement... Je ne comprends pas. Depuis qu'on se connaît, on se tape sur les nerfs. Pourquoi veux-tu me protéger, tout à coup ? Tu devrais plutôt espérer que je me fasse avoir, moi aussi !

Elle sourit. Un petit sourire qui me semble beaucoup moins arrogant, tout à coup... et beaucoup plus sympathique.

— Je te l'ai dit, je trouve qu'on se ressemble, toi et moi... En plus, ça m'énerve et ça m'insulte de voir ces gars-là s'en tirer tout le temps, alors que nous, les filles, on se ramasse avec une peine d'amour. Alors... si, pour une fois, ça pouvait être le gars qui se faisait larguer... ça me ferait vraiment plaisir.

Elle a l'air sincère. Pour la première fois, je lui souris.

— Ne t'en fais pas pour moi. Je ne me ferai pas avoir.

Elle sourit à son tour, un vrai sourire, cette fois.

— Tant mieux ! Alors, tu viens voir Benjamin à l'œuvre ?

Benjamin ! Je l'avais complètement oublié, celui-là ! Nous sommes presque arrivées à sa maison, alors, tant qu'à y être… J'acquiesce d'un signe de tête.

Je sais où habite Benjamin. Tout le monde, dans ce village, sait où tout le monde habite. Ce que je ne savais pas, par contre, c'est qu'il y a un cabanon dans la cour arrière et que ce cabanon a été aménagé en atelier.

Même si je l'avais su, ça ne m'aurait fait ni chaud ni froid. L'apprendre aujourd'hui, c'est un peu différent. Ou plutôt, c'est la façon dont je l'apprends qui change tout : j'ai l'impression qu'Olivia vient de me jeter carrément dans la vie de Benjamin, dans une partie de cette vie que bien peu de gens connaissent, et ça ne me plaît pas du tout. Rien ne me garantit que ça fera son bonheur à lui non plus, d'ailleurs…

À quelques mètres du cabanon, Olivia pose un doigt sur ses lèvres et me fait signe de la suivre. Je me sens tout à coup en plein film d'espionnage. Nous approchons du cabanon sur la pointe des pieds et collons nos visages contre la fenêtre.

Benjamin est bien là. En fait, nous arrivons en pleine séance d'ébénisterie. À peine ai-je jeté un coup d'œil dans cet atelier que je comprends qu'Olivia disait la vérité : c'est vraiment Benjamin qui a fabriqué le coffret. À le voir penché sur ses outils, on comprend tout de suite que ce n'est pas la première fois qu'il s'adonne à ce genre de travail. Il a l'assurance de ceux qui ont répété les mêmes gestes des centaines, des milliers de fois. Ça fait drôle de le voir comme ça, lui qui n'a jamais eu l'air très sûr de lui dans quoi que ce soit. Ce n'est plus le Benjamin que je connais... ou plutôt, que je côtoie depuis la maternelle. Je réalise que pour ce qui est de le connaître, je suis loin du compte.

Il y a quelque chose de fascinant à le voir travailler. Comment une personne peut-elle avoir deux facettes si différentes ? Comment Benjamin Côté peut-il être si effacé, si invisible en public, et si sûr de lui quand il se retrouve seul avec un morceau de bois ?

Au bout de quelques minutes, je finis par détacher les yeux de Benjamin et je m'éloigne le plus discrètement possible, Olivia sur les talons. Une fois certaine qu'on ne nous entendra pas, elle me demande avec un sourire triomphant :

— Alors ? Tu me crois, maintenant ?

— Oui, je te crois, pas besoin d'en remettre !

— Je te l'avais dit que Ben était un génie !

J'ai dû mal comprendre.

— Ben ? Tu l'appelles Ben ?

— Heu... oui, pourquoi ?

J'éclate de rire.

— Ben ! Franchement ! Ça ne lui va tellement pas !

Elle a l'air insulté.

— Et pourquoi ça ne lui irait pas ?

— Je ne sais pas, ça fait bizarre… Il est tellement sérieux, tellement…

Le seul mot qui me vient à l'esprit est « ennuyant », mais je ne crois pas qu'Olivia apprécierait.

— … tellement tranquille… « Ben », ça irait à un gars souriant, énergique, sociable… Il me semble que « Benjamin », ça lui va mieux. C'est plus… neutre.

Olivia secoue la tête.

— Tu ne le connais pas. Tu ne peux pas dire si ça lui va ou non.

— Tu ne vas quand même pas me faire croire qu'en réalité, c'est un boute-en-train qui adore faire la fête toutes les nuits jusqu'au petit matin !

— Non, mais à t'entendre, on croirait que c'est le gars le plus plate de la terre et ce n'est vraiment pas le cas !

Ça, ça reste à prouver. Au lieu de dire ce que je pense et de recevoir une paire de claques, je demande :

— Alors, qu'est-ce que je devrais savoir sur « Ben » que je ne sais pas encore ?

Elle hésite.

—Il n'y a pas grand-monde qui le connaît vraiment. Mais c'est quelqu'un, je te jure. Il peut passer des heures dans son atelier. Il en oublie de manger, des fois. Tu en connais beaucoup, toi, des gars qui se passionnent comme ça pour quelque chose ?

Elle réfléchit une seconde, soupire.

— C'est difficile à expliquer. Ben n'est pas comme les autres. Sa vie, c'est le bois, le ciel, la mer... C'est quelqu'un de solide. Il est vraiment... vraiment ancré à la terre. Tu comprends ?

Je comprends surtout que ce n'est pas normal pour un gars de mon âge d'être aussi « ancré ». Il a seize ans, pas quarante !

Mais pour faire plaisir à Olivia, parce que je crois qu'il vaudrait mieux pour moi l'avoir comme amie que comme ennemie et parce que j'en ai un peu assez d'être ici, je hoche la tête. Et je me dépêche de lui lancer « Bon, je vais y aller maintenant, à demain ! » avant qu'elle commence un autre discours pour essayer de me convaincre que son cousin est la huitième merveille du monde.

Chapitre 9

Ma mère a fini par apprendre mon histoire d'amour avec Jonathan. Je savais que je ne pourrais pas la garder secrète bien longtemps ! Évidemment, quelqu'un a eu la bonne idée de lui en parler et maintenant, elle va faire de ma vie un véritable enfer.

Hier soir, elle est arrivée de son travail au pas de charge, a claqué la porte et, sans me dire bonjour, les mains sur les hanches, m'a demandé avec un air de bouledogue :

— C'est quoi cette histoire de chum, Alissa Martin ?

Je n'ai pas bougé du divan, où je regardais une émission nulle à la télé en attendant que Marie-Pier arrive.

— Quelle histoire de chum ?

— Ne fais pas l'imbécile ! Je sais que tu as un chum !

— Je n'ai jamais dit le contraire.

— Non, mais tu ne m'en as jamais parlé non plus !

— Et pourquoi je t'en aurais parlé ? Je ne te tiens pas au courant de tout ce qui se passe dans ma vie ! De toute façon, la moitié du temps, ça ne t'intéresse pas ! Et regarde ce que ça donne… un drame, encore !

Je jure que j'ai vu de la fumée lui sortir des oreilles.

— Je ne fais pas un drame. C'est juste que j'aimerais ça, des fois, ne pas être la dernière à apprendre la nouvelle quand ma fille tombe amoureuse !

J'ai haussé les épaules. Elle peut bien jouer à la mère attentive et sensible, elle s'en fout, que je sois amoureuse ou pas. Tout ce qu'elle veut savoir, c'est ce que je fais et avec qui. En clair : elle veut savoir si je couche avec lui. Le reste… ce que je ressens, ce que je pense, elle n'en a rien à faire.

— Il a quel âge ?

— Arrête de capoter, maman ! Tu le connais, c'est Jonathan. Le frère de Marie-Pier. Et pour répondre à ta question, il a vingt ans.

En fait, il les aura seulement dans quatre mois et demi, mais j'aime assez jouer avec les nerfs de ma mère de temps en temps. Elle ne se gêne pas pour jouer avec les miens, elle !

— Vingt ans ! Te rends-tu compte, Alissa ?

— Maman, franchement ! Qu'est-ce que ça peut changer ?

— Tu es vraiment naïve, ma pauvre Alissa. Et ce n'est pas juste une question d'âge… Tu sais quel genre de réputation il a, ton Jonathan ? Il change de blonde comme il change de chemise ! Je ne veux plus que tu le voies, c'est clair ?

Je la regarde en serrant les mâchoires. Quoi, elle s'imagine que je vais obéir à un ordre aussi ridicule ? Et d'abord, elle va s'y prendre comment, pour m'empêcher de le voir ? Il faudrait qu'elle m'enferme à double tour !

Je monte le volume de la télé.

— Alissa ! Alissa, je te parle !

La sonnette de la porte laisse entendre son « Ding ! Dong ! ». Alléluia ! Je me lève d'un bond.

— C'est Marie-Pier. Il faut que j'y aille. Bye !

Évidemment, je ne précise pas qu'avec Marie-Pier, je me rends chez Lucas… où je retrouverai Jonathan.

Depuis qu'Olivia m'a traînée jusqu'à l'atelier de Benjamin, je fais toujours un bout de chemin avec elle à la fin de ma journée de travail. La route paraît moins longue. Je ne me sens pas encore énormément d'atomes crochus avec elle, mais je dois admettre que je l'apprécie un peu plus chaque jour. Mes amies vivent toutes avec leurs deux parents; elles ne peuvent pas vraiment comprendre mes problèmes avec ma mère. Olivia, elle, comprend tout, parfois même avant que je le dise. Elle sait ce que c'est de se sentir de trop. Mais elle, au moins, elle a son oncle et sa tante qui l'accueillent pour l'été… et elle a Benjamin.

Il ne se passe pas une journée sans qu'elle me parle de son cousin. L'autre jour, je lui ai fait remarquer que c'était plutôt bizarre qu'ils s'entendent si bien alors qu'ils sont si différents.

— Toi, tu es extravertie, énergique, sûre de toi, tu n'as pas peur de donner ton opinion, de prendre ta place… Lui, il est plutôt du genre solitaire…

— C'est parce qu'on se complète. Moi, je lui apporte de l'énergie et lui, il m'apporte… je ne sais pas… une sorte de paix, je dirais. Ça a peut-être l'air fou, mais c'est vrai. Avec lui, je me sens plus calme. Tous mes problèmes ont l'air moins graves quand il est là. Il n'a pas besoin de parler, juste d'être là, et ça va mieux.

Elle parlait presque comme une fille amoureuse. Quand je lui en ai fait la remarque, elle a éclaté de rire.

— Oh non ! Benjamin, c'est comme mon frère ! C'est mieux que mon frère ! Mais c'est sûr que j'aimerais trouver un gars dans son genre. Même s'il n'y en a pas deux comme lui.

Depuis, ses paroles me hantent. « On se complète. » Je l'ai trouvée chanceuse d'avoir quelqu'un qui la « complète », même si ce n'est pas son amoureux. Il y a des fois où j'ai tellement l'impression qu'il me manque des morceaux, à moi…

Je ne suis pas sûre que Jonathan me « complète ». Ni que ça va mieux quand il est là. En fait, j'en veux un peu à Olivia de m'avoir mis ces idées dans la tête. Quand je suis avec Jonathan, maintenant, j'ai l'impression de chercher quelque chose qui n'est pas là. J'ai l'impression qu'il manque encore plus de morceaux…

Aujourd'hui, j'ai décidé que je ne voulais pas entendre un mot sur Benjamin. En fait, je frise l'overdose, concernant le fameux cousin.

Aujourd'hui, donc, Olivia parlera d'autre chose, que ça lui plaise ou non. Je choisis le premier sujet qui me passe par la tête, le seul, en fait, que nous ayons en commun à part nos problèmes avec nos parents : notre travail.

— Olivia, je peux te poser une question ?

— Oui…

— Tu aimes vraiment travailler chez madame Angélique ou tu fais semblant ?

Elle hausse les épaules.

— J'aime assez ça. Ce n'est pas difficile comme travail, c'est bien payé et madame Angélique est plutôt attachante.

— Oui, mais tu ne trouves pas ça long, des fois ?

— Ça m'arrive… pas souvent, mais des fois, oui… Pourquoi tu me demandes ça ?

Je soupire.

— Parce que moi, je trouve ça long tout le temps.

— Pourquoi tu restes, alors ? Ah oui, c'est vrai, ta mère t'y oblige.

Je grimace. Encore cette formule qui me donne l'impression d'avoir quatre ans… Je précise :

— Elle avait peur que je passe l'été à me tourner les pouces et elle travaille au centre d'accueil, alors elle a entendu parler de ce travail-là... et voilà.

— Toi, c'est ça que tu voulais faire, te tourner les pouces tout l'été ?

— Oui, j'imagine...

— Ç'aurait été encore plus long.

— Impossible !

— Imagines-tu, ne rien faire pendant tout un été ? Je ne serais jamais capable !

— Moi, je serais très capable. Marie-Pier et Joanie le font, elles. Elles se couchent tard, se lèvent tard, voient leurs chums autant qu'elles le veulent et sont bronzées comme si elles revenaient d'un voyage dans le Sud ! Je ne vois vraiment pas comment on pourrait les plaindre !

Olivia ne dit rien, mais son silence signifie clairement qu'elle n'est pas d'accord avec moi. Je demande d'un ton un peu agressif :

— Voyons, Olivia, veux-tu bien me dire ce que tu trouves de positif à travailler comme aide à domicile ? À part le salaire...

Elle hausse une épaule.

—Je me sens utile, je sens que j'apporte quelque chose à madame Angélique, qu'elle est contente que je sois là… Et puis, je l'aime bien, madame Angélique. J'ai plus l'impression d'être sa petite-fille qu'une employée.

C'est vrai que madame Rose aussi se prend souvent pour ma grand-mère. La différence, c'est que moi, ça me met mal à l'aise. Je n'ai pas l'habitude des grands-mères. La mienne, la mère de ma mère, est morte quand j'étais petite. Et si ma grand-mère paternelle sait que j'existe, elle n'a jamais cru bon se manifester.

Olivia continue :

— Peut-être que tu n'aimes pas ce travail-là parce que tu as des préjugés. Des fois, les gens croient que les personnes âgées ne sont pas intéressantes, qu'elles ne font que radoter à longueur de journée, qu'elles n'ont pas d'intérêt à part tricoter et regarder la télé… Mais ce n'est pas vrai. Elles ont plein de choses à raconter. Essaie de la faire parler, ta madame Rose, tu vas voir…

Seigneur, on croirait entendre ma mère.

— Je n'ai pas besoin de la forcer, elle parle tout le temps !

— Et toi, est-ce que tu l'écoutes ?

Décidément, Olivia est un clone de ma mère !

— Je n'ai pas beaucoup le choix !

— Tu l'écoutes vraiment ?

Bon, si je veux être parfaitement honnête…

— Non, pas souvent.

— Essaie ! Intéresse-toi à ses histoires. Pose-lui des questions. Tu m'en donneras des nouvelles.

— Le problème, c'est que ça m'ennuie, ce qu'elle raconte. Elle me parle tout le temps de son mari qui est mort, et toujours pour me dire les mêmes affaires… Même si je ne l'écoute pas vraiment, comme tu dis, à force de l'entendre, je commence à la connaître, son histoire !

— Alors, parle-lui de toi. Elles adorent ça. Madame Angélique, en tout cas, elle pourrait passer des heures à m'écouter lui raconter mes histoires d'amour.

— Je ne suis pas certaine que j'ai envie de lui raconter les miennes…

Olivia lève les yeux au ciel d'un air exaspéré.

— Bon, d'accord, alors continue de trouver que tes journées sont longues et plates !

— Écoute, je veux bien essayer, mais ça ne marchera pas. Je n'ai pas le tour, moi, avec les personnes âgées, je ne suis pas comme toi !

— Peut-être que si tu faisais un petit effort…

Avec un soupir et sans trop de conviction, je lui promets d'en faire un, effort. C'est bien pour lui faire plaisir, parce que je suis certaine que ça ne donnera rien. Au moins, mon but premier est atteint… Nous sommes au coin de la rue et elle n'a pas prononcé le nom de Benjamin !

Madame Rose est silencieuse, aujourd'hui. On dirait même qu'elle a le moral un peu bas. Ça a peut-être quelque chose à voir avec le fait que madame Angélique est partie à Sept-Îles pour la journée. Olivia, la chanceuse, l'accompagne. J'aurais bien aimé faire ce petit voyage-là, moi aussi. Sept-Îles n'est qu'à deux heures et demie de route, mais ça m'aurait changé d'air et j'aurais pu magasiner un peu… même si ce n'est pas Québec ou Montréal.

Mais je ne suis pas à Sept-Îles. Je suis dans le salon de madame Rose et ladite madame Rose n'a pas l'air de vouloir jaser fort fort, ce qui est presque inquiétant, la connaissant.

— Madame Rose, ça va ?

— Quoi ? Oh, oui, oui, ça va, je me sens juste un peu… fatiguée.

Ouf ! pendant une seconde, j'ai cru qu'elle allait dire « déprimée ». J'aurais été obligée de lui demander pourquoi et franchement, je ne me sens pas d'humeur à écouter ses confidences. Ma conversation avec Olivia me revient. Tiens, ce serait peut-être le temps de tester sa théorie… Je réussis à prendre un ton presque naturel pour demander :

— Est-ce que je vous ai dit que j'ai un nouveau chum ?

En l'espace d'une demi-seconde, elle change du tout au tout. Il n'y a plus aucune trace de la vieille dame amorphe de tout à l'heure. Elle a rajeuni de vingt ans. Ses yeux pétillent, même sa voix a changé.

— Non, tu ne m'avais pas dit ça ! C'est qui ?

La métamorphose est tellement saisissante que je mets quelques secondes à répondre.

— Heu… c'est Jonathan, le frère de ma meilleure amie.

— Celui qu'on a rencontré sur la plage ?

Mon Dieu, elle se souvient de ça ? Elle a bonne mémoire, finalement.

— Oui, c'est lui.

— Je le savais ! Je te l'avais dit qu'il était beau bonhomme ! Il me semblait, aussi, que vous iriez bien ensemble !

Elle a l'air aussi contente que si c'était elle et non pas moi qui sortait avec Jonathan. Je souris. Elle se penche vers moi, me tapote le genou.

— Je veux tout savoir. Depuis le début !

Je commence à lui raconter notre première soirée de l'été, la première fois qu'il m'a embrassée, nos soirées à la crémerie, au feu… Plus je parle, plus je me sens à l'aise. Elle m'écoute vraiment. Elle ne me coupe pas la parole. Elle n'essaie pas de trouver dans ses souvenirs quelque chose de mieux que ce que je lui raconte. Elle s'enthousiasme en même temps que moi, même sur des détails qui auraient l'air ridicules pour quelqu'un d'autre.

Pourtant, il y a quelque chose qui cloche. Quelque chose qui me met vraiment mal à l'aise. Et ça m'énerve, parce qu'Olivia a encore raison : plus je parle de Jonathan, plus je me rends compte que je n'ai pas grand-chose à dire. C'est vrai, je ne peux pas vraiment raconter nos discussions à madame Rose, parce que des discussions, des vraies, on n'en a jamais eu. La plupart du temps, quand on est ensemble, on est aussi avec le reste de la gang, et même si tout le monde parle tout le temps, c'est plutôt pour ne rien dire. En fait… quand on est ensemble, on est TOUJOURS avec le reste de la gang. C'est à croire que Jonathan n'a pas envie de passer du temps seul avec moi. C'est le genre de gars qui ne vit qu'entouré d'amis… de beaucoup d'amis. La seule soirée qu'on a passée seuls tous les deux, il avait l'air perdu. On ne trouvait rien à se dire. Quand on y pense, c'est triste à pleurer. Dès qu'on arrête de s'embrasser, on ne sait plus quoi faire de nos bouches. Et si on ne se parle pas, comment est-ce qu'on pourrait vraiment se connaître ? Je ne peux pas dire que je sais grand-chose des projets de Jonathan pour l'avenir, ni de ses peurs ou de ses rêves…

En fait, au bout de cinq minutes, j'ai raconté tout ce qu'il y a à raconter à son sujet. Ça ne prend quand même pas une demi-heure pour expliquer que quelqu'un est super sportif et beau à tomber par terre… et c'est à peu près tout ce que j'ai à dire sur mon chum. Mais madame Rose a l'air tellement intéressée et tellement plus joyeuse qu'à mon arrivée que j'en rajoute. J'invente. Ce n'est pas vraiment du mensonge, je ne pense pas… c'est juste… oh, et puis oui, c'est du mensonge, carrément ! Je ne lui raconte plus qui est Jonathan, je raconte qui je voudrais qu'il soit et je décris la relation de mes rêves. Un prince charmant qui ne vit que pour moi, qui s'assure que je suis toujours heureuse, qui m'écoute quand je lui parle, qui s'intéresse à ce que je dis… Alors que les trois quarts du temps, tout ce qui intéresse Jonathan, c'est le sport, les potins et les blagues. Et pour ce qui est de ne vivre que pour moi, on repassera… J'ai toujours l'impression que ses pratiques de soccer et ses amis sont plus importants que moi. Si je suis prête à l'accompagner, tant mieux; sinon, tant pis, il y va tout seul.

Plus j'en rajoute, plus je me rends compte que mon histoire avec Jonathan est ordinaire. Rien à voir avec celle de madame Rose et de son héros de guerre. Tout à coup, je l'envie presque, madame Rose. Son mari n'est plus là, mais au moins, elle a quelque chose à raconter, elle.

Tandis que moi…

J'ai fait quelque chose que je n'aurais jamais cru possible. J'ai dit à Jonathan que je ne pouvais pas passer la soirée avec lui, que j'avais autre chose à faire. Il a paru un peu surpris. Depuis qu'on sort ensemble, je calque mon horaire sur le sien, pour passer le plus de temps possible avec lui ; c'est la première fois que je décide de le mettre de côté. Je ne crois pas que ma nouvelle attitude lui a plu.

Me voici donc en route pour aller voir Olivia. Olivia, au lieu de Jonathan et du reste de ma gang ! Est-ce que je suis tombée sur la tête ?

Je cogne à la porte et attends. Rien. J'entre, crie « Il y a quelqu'un ? »… Silence. Bon, alors, en plus d'être tombée sur la tête, me voilà toute seule ! Qu'est-ce que je fais, maintenant ? Je ne peux pas aller retrouver ma gang, de quoi j'aurais l'air ? Une autre soirée de gâchée !

En sortant de la maison, j'aperçois de la lumière dans le cabanon. Dans l'atelier de Benjamin. Olivia avait raison au sujet de madame Rose… je décide de donner une chance à Benjamin et de vérifier si sa cousine a dit vrai aussi à son sujet. Voyons s'il est vraiment « quelqu'un » tant que ça.

J'entre sur la pointe des pieds. Concentré sur son travail et distrait par le bruit de sa scie électrique, il ne m'entend pas. Je n'en reviens pas que son père lui permette de travailler avec tous ces outils. Ma mère, elle, ne me laisserait pas approcher à deux mètres. C'est tout juste si elle me laisse utiliser un couteau à steak !

Et ses outils, Benjamin a l'air de les connaître. Aucune hésitation, aucune pause dans ses mouvements : il sait où il s'en va. Ça coule, on dirait presque une chorégraphie… Il a dû les répéter des dizaines, et même des centaines de fois, ces gestes, pour que ça semble si facile. Moi, je ne saurais même pas quoi faire avec un marteau et un clou.

Je reste là à l'observer, fascinée. Benjamin semble parfaitement à l'aise. Alors qu'il n'a jamais l'air à sa place nulle part, cette fois, c'est moi l'intruse. Moi qui regarde sans trop savoir ce qui se passe, comme à l'extérieur de sa bulle. Pénible, comme sensation. Je n'aurais pas dû venir.

Tout à coup, il se tourne vers moi et sursaute. Impossible, maintenant, de filer en douce.

— Alissa ! Qu'est-ce que tu fais ici ?

Je me sens rougir.

— J'étais venue voir Olivia, mais il n'y a personne…

— Je crois qu'elle est dans la douche. Ça fait longtemps que tu me regardes comme ça ?

Je décide de mentir un peu. Il n'y a pas de raison de le mettre mal à l'aise.

— Non, je viens juste d'arriver. Qu'est-ce que tu fais ?

Il se retourne vers son établi comme s'il avait complètement oublié sur quoi il travaillait.

— Oh, un petit coffret à bijoux pour Olivia. Tu veux voir ?

Et comment que je veux voir ! Surtout si c'est pour Olivia !

Benjamin me tend le coffret. Je le prends du bout des doigts comme s'il était fait en verre, comme si le simple fait d'y toucher pouvait le faire éclater en morceaux. J'ai l'impression de tenir un objet rare et précieux. Je sens que Benjamin attend mes commentaires, je sais que je dois dire quelque chose, mais les mots me manquent.

Il est tout petit, ce coffret. Il tient dans ma main. Olivia ne doit pas avoir beaucoup de bijoux ou alors, elle n'y mettra que les plus beaux. Il est tout simple, aussi. Le motif est discret, juste une petite vague qui fait le tour et une espèce de paysage de nuit sur le dessus, avec la lune et les étoiles. Benjamin a bien choisi. Olivia n'aurait pas aimé quelque chose de trop compliqué, elle n'est pas du genre à apprécier la dentelle et les fioritures.

Je passe doucement le doigt sur les étoiles du couvercle. Il y a une semaine, je voyais Benjamin comme quelqu'un de parfaitement insignifiant. Maintenant... maintenant, il me semble beaucoup plus intéressant. Il a quelque chose à révéler, lui, un talent immense, un beau secret, alors que moi...

Je lui redonne son coffret, presque à contre-cœur.

— Il est superbe. Olivia va l'adorer.

Il sourit. Pas un sourire poli ou timide comme il fait d'habitude, non, un vrai sourire que je ne lui avais jamais vu. Ça le rend presque beau. Presque.

— Olivia doit avoir fini, maintenant, si tu veux aller voir...

— Oh, oui, je vais te laisser travailler en paix. Merci.

Je ne sais même pas pourquoi je lui ai dit merci. Merci de m'avoir virée à l'envers ? Merci de m'avoir fait prendre conscience que je ne suis bonne à rien, bonne dans rien ? Franchement...

Je n'ai plus du tout envie de parler à Olivia. De toute façon, je la verrai demain, chez madame Angélique. Je quitte l'atelier de Benjamin bien décidée à retrouver Jonathan, pour me changer les idées, pour me rassurer sur ma valeur… Si Jonathan m'aime, c'est que je vaux quelque chose, non ?

Ça [illegible] pas marché. Ma soirée avec Jonathan n'a fait qu'empirer les choses.

Hier, en quittant Benjamin, je me suis rendue chez Marie-Pier (et, par le fait même, chez Jonathan). Ils y étaient tous les deux, avec Lucas, Joanie et Maxime, et se préparaient à regarder un film. Ils étaient tous contents de me voir, surtout Jonathan. Je me suis dit que ma soirée allait être bonne, finalement.

J'ai [illegible] déchanté. Je ne sais pas pourquoi, mais regarder [illegible] film avec Jonathan m'a mise mal à l'aise. Est-ce que c'était parce qu'il riait trop fort, ou pas assez, ou pas aux bons moments, ou à cause de ses commentaires ? Je ne sais pas. Mais j'ai compris, vraiment compris, ce qu'Olivia voulait dire quand elle l'accusait d'être superficiel. Il n'a rien fait de mal pendant le film, il a tout simplement été lui-même, mais… il manquait quelque chose. Un courant entre lui et moi. Une étincelle. Un lien quelconque.

C'est ça, le problème : je ne me sens pas « liée » à Jonathan. On se touche, on se parle, mais c'est tout. J'ai l'impression qu'il n'y a plus rien à découvrir chez ce gars-là et, pire encore, que ce que je sais de lui, tout le monde le sait. Je ne suis pas plus proche de lui que les autres. Sauf physiquement, évidemment.

Qu'est-ce qui se passe avec moi ? Avant, ça m'allait très bien, d'être proche de lui « physiquement » et pas autrement ! C'était beaucoup moins compliqué… et beaucoup plus confortable !

J'en veux à Olivia de m'avoir mis des idées bizarres dans la tête. Et j'en veux à Benjamin de m'avoir fait comprendre que les gens sont beaucoup plus intéressants quand ils ont un côté secret… que Jonathan n'a pas.

Madame Rose et moi avons passé l'avant-midi chez madame Angélique et je n'ai pas prononcé un mot à part oui, non et merci. Olivia s'est rendu compte que quelque chose n'allait pas. Un sourd et aveugle s'en serait aperçu ! Même madame Rose a essayé de me faire parler, mais j'ai tenu bon. Je n'ai pas envie de parler, j'ai le droit, non ?

Madame Rose fait maintenant sa sieste de l'après-midi. Je suis toute seule, mal dans ma peau, je ne me suis jamais sentie comme ça. Perdue. Vide. Je ne peux même pas me confier à ma meilleure amie. Marie-Pier semble ravie de me voir sortir avec Jonathan, ce qui m'a plutôt surprise au début. Je pensais qu'elle serait un peu fâchée de voir son frère prendre la plus grande place dans ma vie alors qu'avant, c'était elle, ma meilleure amie, qui arrivait en haut de la liste. Mais non, quand je lui ai annoncé la nouvelle, elle s'est mise à rire en m'appelant sa « belle-sœur » et elle n'arrête pas de me dire qu'elle trouve ça merveilleux. Jusqu'à aujourd'hui, c'était parfait. Ça l'est moins au moment où j'aurais besoin de lui confier que mon chum et moi, finalement, ce n'est pas le paradis… que je le trouve un peu trop distant, trop égocentrique, pas assez sérieux en amour… Si c'était n'importe quel autre gars, je courrais chez Marie-Pier pour pleurer sur son épaule. Malheureusement, Jonathan n'est pas « n'importe quel autre gars ». Il est son FRÈRE, bordel ! Qu'est-ce qui m'a pris de tomber amoureuse de lui ???

J'aurais envie de casser quelque chose. Même si je sais que ça ne règlerait rien et que je me sentirais probablement encore plus mal après.

En tout cas, pas question de rester là à regarder encore une de ces émissions stupides à la télé. J'aurais presque envie de me bourrer de sucre à la crème, c'est dire si ça va mal…

Pour m'éloigner du réfrigérateur, je monte l'escalier menant à l'étage. Je pourrais toujours faire semblant que c'est pour aller voir si madame

Rose va bien. Mais ce n'est pas vers sa chambre à elle que je me dirige. Non, c'est la chambre de Marguerite qui m'attire. La chambre de bébé qui n'a jamais servi.

Je ne crois pas que madame Rose verrait un inconvénient à ce que j'y vienne. Après tout, c'est elle qui m'y a invitée la première fois et elle avait l'air tellement contente que j'entre là ! Comme si elle avait besoin de voir de la vie dans cette chambre… Et puis, elle n'en a pas fait un mausolée, comme je m'y attendais. Contrairement à ce que croient bien des gens, elle ne cultive pas ses fantômes, madame Rose. Seulement le souvenir de sa petite fille et son amour pour elle.

Assise dans la chaise berçante, les jambes repliées sous moi, je regarde par la fenêtre. Il fait un soleil radieux aujourd'hui et pourtant, je me sens d'humeur maussade. J'ai l'esprit dans la brume. Une brume opaque, lourde, qui m'empêche de trouver mon chemin.

Je ne vais pas bien.

Je voudrais arrêter de me poser des questions. Dans le fond, je voudrais qu'Olivia ne soit jamais entrée dans ma vie. C'est elle qui a mis tous ces doutes dans ma tête. Ça allait bien, avant ! J'étais contente de ma vie ! Maintenant, à cause d'elle, je ne suis plus sûre de rien !

Qu'est-ce que ça peut faire que Jonathan soit superficiel et égocentrique ? Pourquoi ce serait un drame que notre histoire soit purement physique et se termine avec les vacances ? Je veux sortir avec lui, pas le marier ! Je n'ai pas nécessairement *besoin* d'un gars avec qui je pourrais discuter pendant des heures ! Je ne suis même pas sûre que j'aimerais être avec un gars comme ça ! Il me semble que ça serait beaucoup plus compliqué…

Oui, mais peut-être plus intéressant, aussi.

Non, je ne vais pas bien. Pas bien du tout. Sinon, je n'aurais pas les yeux pleins d'eau et une boule dans la gorge. Et je ne penserais pas à ma mère.

Je ne pense jamais à ma mère, sauf pour me rappeler à quel point elle me rend la vie impossible. Pourtant, dans cette chambre, c'est difficile de faire autrement. On sent tellement que madame Rose a désiré son enfant, qu'elle lui manque, même si elle n'a jamais vécu avec elle… jamais vécu tout court… Ma mère ne m'a pas désirée, moi. Est-ce que je lui manquerais si je disparaissais ?

Je préfère ne pas y penser. Trop démoralisant.

Dans le fond, personne ne m'a voulue. Pas ma mère, et encore moins mon père. Je ne sais presque rien de lui. Je sais seulement qu'il était très beau et que j'ai hérité de ses yeux. C'est tout. Jusqu'à maintenant, ça ne m'intéressait pas d'en savoir plus. Ma mère est tellement envahissante, elle prend de la place pour deux... et je me vois mal m'asseoir avec elle pour discuter tranquillement de sa relation avec mon père, comment ils se sont connus, pourquoi ils se sont séparés... Quand on parle de ma mère et moi, « discuter tranquillement » sont deux mots qui ne vont absolument pas ensemble. Même quand on essaie, ça finit toujours par des cris et des reproches. D'accord, quand j'étais petite, ça allait un peu mieux et j'ai bien posé quelques questions, mais elle n'est jamais entrée dans les détails. Elle répondait oui, non, puis changeait de sujet, comme si elle était mal à l'aise. On aurait dit qu'elle se sentait piégée ou qu'elle avait quelque chose à se reprocher. J'étais trop petite alors pour m'en rendre compte, mais maintenant que j'y repense, je comprends qu'elle évitait le sujet. Pourquoi ?

Il serait peut-être temps que je creuse un peu. J'ai envie de savoir. Est-ce que ma mère et mon père avaient le même genre de relation que Jonathan et moi ? Est-ce qu'ils se parlaient, eux ? Ou est-ce qu'ils ont été ensemble le temps de me fabriquer, et c'est tout ?

Est-ce que je suis en train de refaire les mêmes erreurs que ma mère ?

Bon, ça va faire, les idées déprimantes ! Je suis en vacances (scolaires, du moins), le soleil brille, j'ai un chum qui est beau, sportif et populaire (à défaut d'être intéressant) et… et… je suis en santé, tiens. Ça compte pour quelque chose, ça aussi, non ?

Je crois que je préférerais être malade, célibataire, à l'école et heureuse. Même si c'est plutôt pathétique.

Chapitre 10

Je croyais que venir à ce party avec Jonathan me ferait du bien, me changerait les idées. Pour le remontage de moral, on repassera.

J'ai l'impression d'être sur une pente descendante et de filer à toute allure vers le fond. Rien ne va plus dans ma petite tête. C'est à se demander si je ne suis pas en train de devenir folle.

Il n'y a personne de ma gang à cette soirée. Tout le monde est plus vieux que moi. Je me moquais de ma mère qui faisait tant d'histoires à propos de l'âge de Jonathan, mais je me rends compte qu'elle avait raison. Ça fait une différence. Je ne me sens pas du tout à ma place, ici. Moi qui désirais tant faire partie de ce monde-là, de cette gang-là, je donnerais cher pour être ailleurs en ce moment. Mais je n'ose pas partir. Je ne veux pas avoir l'air d'une petite fille qui s'ennuie de ses copines. Alors je souris, je ris, en espérant être convaincante. Il faut croire que ça marche, car au bout de dix minutes, Jonathan m'a laissée avec un groupe de filles pour aller retrouver ses amis. Il ne s'est pas rendu compte que j'avais besoin de lui, qu'il me servait d'ancrage au milieu de ces gens. Si lui ne s'en est pas aperçu, j'espère que personne ne l'a remarqué non plus.

Un peu passé minuit, je me dis que je devrais pouvoir partir sans me faire trop remarquer. Je cherche Jonathan, que je n'ai pas vu depuis près d'une heure. Je le trouve finalement dans la cour, une bière à la main, une cigarette dans l'autre, en pleine conversation avec une grande blonde à la poitrine trop généreuse pour être naturelle.

— Jonathan, je m'en vais.

— D'accord. On se voit demain ?

— Oui, à demain.

Il me plante un baiser sur la joue, comme si j'étais sa sœur ou sa cousine, et me fait un grand sourire avant de reporter son attention sur la blonde. Peut-être devrais-je dire « sa future blonde ». Et honnêtement, je m'en fous. Mauvais signe, non ?

J'aurais quand même aimé qu'il vienne me reconduire chez moi. Il me semble que ça aurait été la moindre des choses après m'avoir laissée à moi-même toute la soirée. Mais non, il ne m'a même pas jugée digne de m'accorder ces quinze minutes-là. Notre histoire « d'amour » est probablement encore plus ordinaire que je le croyais…

Je marche lentement en direction de chez moi, avec l'impression d'être la dernière des imbéciles. Je ne sais même pas où j'ai envie d'être, en ce moment. Pas chez moi, sous le même toit que ma mère, ses reproches et ses discours, surtout qu'elle avait raison, pour la différence d'âge. Pas avec mes amies, qui ne comprendraient rien, elles qui trouvent que Jonathan et moi, on « va si bien ensemble ». Comme si on était deux morceaux de vêtements qu'il faut agencer ! Franchement ! On va peut-être bien ensemble, quand on nous regarde comme ça, mais ça ne veut vraiment rien dire !

En passant devant chez Olivia, j'aperçois de la lumière dans le cabanon. Je ne prends pas la peine de réfléchir. Deux minutes plus tard, je pousse doucement la porte de l'atelier de Benjamin.

Il est là, tout seul encore une fois, de la poussière de bois plein le chandail et les cheveux en bataille. Et je le trouve beau.

Ça me frappe comme une claque en pleine face. Je n'aurais jamais pensé dire ça de lui un jour, et pourtant, l'évidence est là : il est beau, à sa façon. Il a un charme particulier, un éclat dans les yeux que je n'avais jamais remarqué auparavant.

Ses gestes pleins d'assurance, son air concentré le rendent… beau. Je cherche un autre mot, mais il n'y a rien à faire, je ne trouve pas. Et ça me déplaît souverainement, parce que ça vient de jeter à terre toutes mes certitudes. Benjamin Côté et les gars comme lui ne sont pas supposés être beaux. Ils sont censés rester ordinaires et invisibles toute leur vie.

Je n'aurais pas dû venir ici.

Si j'étais partie une seconde plus tôt, Benjamin n'aurait jamais su que j'étais entrée. Malheureusement, au moment où je m'apprête à faire discrètement demi-tour, il relève la tête et m'aperçoit.

— Alissa ! Qu'est-ce que tu fais ici ?

Exactement les mêmes mots que la dernière fois. À croire que c'est la seule forme de salutation qu'il connaît, en ce qui me concerne. Je décide d'esquiver la question.

— Et toi, qu'est-ce que tu fais ? Il est presque une heure du matin !

Il regarde sa montre, surpris.

— Déjà ? Je ne savais pas. Quand je commence quelque chose, je perds la notion du temps, je pense.

J'aimerais tellement, moi aussi, trouver quelque chose qui me passionne au point de perdre la notion du temps… et de tout le reste !

J'hésite un peu, puis m'approche de son établi.

— Tu travailles encore sur le coffret à bijoux d'Olivia ?

— Non, je l'ai fini avant-hier. Ça, c'est un cadre pour ma mère, c'est sa fête dans deux semaines.

Encore une fois, Benjamin fait preuve de génie. Son cadre est à couper le souffle, avec ses motifs d'étoiles. Olivia avait raison : Benjamin ne vit que pour le bois et les étoiles. Il va falloir trouver une image extraordinaire pour rendre justice à son œuvre… Comme s'il lisait dans mes pensées, il ajoute :

— C'est pour une photo de famille. Penses-tu qu'elle va être contente ?

La question ne se pose même pas. Je hoche la tête, pensive.

— Tu es chanceux.

— Moi ? Pourquoi ?

— Parce que tu as une famille… une famille normale, je veux dire. Tu as fait un cadeau pour ta mère et elle va être super contente. Je gage qu'elle va même pleurer. Moi, la dernière fois que j'ai fabriqué quelque chose pour ma mère, je devais être en première année.

— Qu'est-ce qui t'empêche de le faire, maintenant ?

Je grimace.

— Je n'ai plus six ans ! Avant, au moins, elle pouvait trouver ça mignon, mais maintenant… elle ne saurait pas quoi faire avec. Et moi, je ne saurais pas quoi lui fabriquer. Je suis nulle en travaux manuels.

— Je suis sûr que non ! C'est plus facile que ça en a l'air, tu sais !

— Oh, toi, c'est certain, tu es un génie !

Il éclate de rire. C'est la première fois que je le vois aussi joyeux. Il devrait rire plus souvent, ça lui va très bien.

— Je suis loin d'être un génie ! J'ai de l'expérience, c'est tout. Mon père est un bon professeur et ça fait des années que je m'amuse là-dedans. Attends un peu…

Il va dans un coin à l'arrière de l'atelier et revient avec une grande planche de pin.

— Qu'est-ce que tu veux lui faire, à ta mère ?

— Moi ? Rien !

— Oui, tu veux lui faire quelque chose. Un coffret à bijoux, peut-être ? Dans le genre de celui d'Olivia ?

— Tu es complètement fou ! Je ne pourrais jamais faire ça.

— En version simplifiée, je veux dire. Sans motif. Tu pourrais le décorer après.

— Tu n'as rien compris, Benjamin Côté ! Je ne veux pas faire de cadeau à ma mère !

Il en faudra plus pour lui faire perdre son sourire.

— D'accord. Fais-en un pour toi, alors. Tu vas voir que ce n'est pas si difficile. Et que je ne suis pas si génial que ça !

Je regarde la planche de bois, méfiante. Comme si c'était un adversaire que je devais combattre. Je ne devrais peut-être pas m'embarquer là-dedans… mais si je refuse, je devrai partir, quitter cet atelier où tout est si paisible, si à sa place… Le choix n'est pas difficile. Je retrousse mes manches.

— D'accord. Par où on commence ?

Chapitre 11

Bon, encore une chose que je n'avouerais à personne, mais ce que ça me prenait, c'était d'avoir les mains dans le bran de scie. De me retrouver face à un morceau de bois, les cheveux pleins de poussière et… avec Benjamin. C'est cette dernière partie, surtout, que je veux garder secrète.

Avoir les mains et la tête occupées m'empêche de trop penser à mon cœur, qui se laisse oublier et c'est tant mieux. Officiellement, je sors toujours avec Jonathan, mais officieusement, j'ai hâte qu'il parte pour le cégep. Il commence à me taper sur les nerfs, mais je ne sais pas comment lui dire qu'on devrait se laisser. Et je n'ai pas envie de répondre au millier de questions que mes amies vont me poser si jamais je me décide à le planter là. Surtout Marie-Pier. Je me vois mal lui confier que, finalement, je trouve que Jonathan n'a pas grand-chose dans la tête et qu'il n'a vraiment pas le tour pour garder une fille... Pour elle, son frère, c'est l'homme idéal. Un modèle de beauté et de séduction. D'accord pour la beauté et la séduction, mais le reste ? On ne passe pas sa vie avec quelqu'un simplement parce qu'il est beau et séduisant ! Mais j'ai peur de blesser mon amie. Jonathan, il s'en remettrait en un rien de temps. Dès que je ne serais plus dans le décor, je suis certaine qu'il y aurait douze filles prêtes à prendre ma place. Mais Marie-Pier... qu'est-ce qu'elle en penserait, Marie-Pier ? Comment je lui expliquerais que son merveilleux frère ne m'apporte rien ? Que je me sens encore plus vide en sa présence ?

Donc, j'endure mon « amoureux ». Ce n'est pas que ce soit pénible, non, c'est plutôt flatteur de l'avoir près de moi et ses baisers sont toujours aussi agréables, mais sans plus. Disons qu'il est utile quand on se retrouve en gang, pour que je ne sois pas la seule célibataire du groupe. Et le regard des autres filles du village me rend plutôt fière de l'avoir accroché. C'est un chum d'ornement, si on peut dire. D'ailleurs, je crois qu'il me voit exactement de la même façon. Donc, tout le monde est content et personne n'aura le cœur brisé quand il partira.

Merveilleux, non ?

Non. Parce que je sens qu'il manque quelque chose à ma vie. Une étincelle, une couleur, une lumière… je ne sais pas quoi. Et franchement, je ne cherche pas trop. Je n'ai pas envie de me casser la tête. J'attends. Un jour, je trouverai.

Pour l'instant, ma vie semble avoir repris son cours normal. C'est un peu… non, beaucoup grâce à Benjamin et à son idée de coffret à bijoux. Il était complètement dans les patates quand il disait que fabriquer mon propre coffret me convaincrait qu'il n'est « pas si génial que ça » ; au contraire, plus j'avance dans mon projet, plus je l'admire. Il sait vraiment ce qu'il fait. C'est rassurant. Ça fait du bien de se retrouver avec quelqu'un d'aussi solide, de se laisser guider par quelqu'un qui connaît le chemin. Alors, je me laisse guider. Je fais tout ce qu'il me dit, comme il le dit, quand il le dit. C'est fou comme c'est reposant. Quand je travaille à côté de Benjamin, je ne me pose pas de questions, je n'ai même pas besoin de réfléchir. Je le laisse prendre toutes les décisions sans protester. Moi qui me transforme en lionne dès que ma mère émet un semblant de directive, avec Benjamin, je suis docile comme un agneau. Je ne me reconnais pas moi-même.

Ça me fait tellement de bien, ces soirées d'ébénisterie, que je fais un peu exprès de ne pas travailler très vite. Je n'ai pas envie de finir tout de suite. Je me sens bien, dans l'atelier de Benjamin, et quand mon coffret à bijoux sera terminé, je n'aurai plus aucune raison de venir. Alors... je traîne un peu.

Parfois, j'oublie même qu'il est là. Je me concentre sur mon bois, mes clous, mon marteau et je ne vois, je n'entends rien d'autre. Moi aussi, maintenant, je réussis à perdre la notion du temps et de ce qui m'entoure. C'est merveilleux !

La seule à savoir ce que je fais de mes soirées, c'est Olivia. Je n'avais pas tellement le choix de la mettre au courant, elle allait forcément s'en apercevoir un jour ou l'autre... D'ailleurs, elle vient souvent faire son tour à l'atelier. Perchée sur un coin d'établi ou sur un tabouret, elle me raconte ses problèmes avec ses parents séparés, ses chicanes avec la fameuse Mélodie, sa relation avec son frère, ses amours désastreuses. Je lui raconte des bouts de ma vie, moi aussi. Je crois qu'à force de nous entendre, Benjamin se rend compte à quel point il est chanceux d'être tombé sur une famille comme la sienne. Le simple fait que son père le laisse utiliser tous ses outils et le fournisse en matériaux en dit long sur le lien qu'ils entretiennent tous les deux.

Il est là aussi, parfois, le père de Benjamin. Et sa mère vient nous dire bonjour de temps en temps.

On dirait que toute la vie de la maison tourne autour de cet atelier. Les seules à ne pas venir, ce sont les sœurs de Benjamin, parce qu'elles habitent à l'extérieur de la région. Je suis sûre que lorsqu'elles viennent passer quelques jours en visite, elles grimpent elles aussi sur le tabouret et l'établi, comme Olivia. Et que tout ce beau monde discute de tout et de n'importe quoi, sans barrière, sans gêne aucune.

Il faudrait que je demande à ma mère de m'en construire un, atelier. Comme ça, peut-être qu'on réussirait à se parler sans se crier par la tête.

Il a bien fallu que ce jour vienne. Il y a des limites à prendre son temps pour fabriquer une boîte à bijoux tellement simple qu'elle pourrait servir de boîte à n'importe quoi. Benjamin aurait fini par se douter de quelque chose.

J'ai fini mon coffret hier. Évidemment, il n'a rien à voir avec celui que Benjamin a fabriqué pour Olivia, mais je suis quand même fière de moi. Et puis, une fois que je l'aurai décoré de quelques coups de pinceau et de deux ou trois autocollants, il sera sûrement plus beau. Je ne sais juste pas encore quoi mettre dessus. J'attends l'inspiration, en espérant que l'évidence me sautera aux yeux un de ces quatre jeudis.

Je suis encore une fois pelotonnée dans ce que j'ai fini par appeler « la chaise de Marguerite », chez madame Rose. Cette fois, cependant, j'ai le cœur plus léger. J'ai pris une grande décision et je me sens beaucoup mieux : ce soir, je vais annoncer à Jonathan que je le laisse. Je crois que nous allons nous sentir soulagés tous les deux. Moi, parce que je me sens de plus en plus mal dans cette relation qui ne mène nulle part, et lui parce qu'il voit de plus en plus souvent Tamara, la blonde du party. Grand bien lui fasse ! Je ne veux même pas savoir ce qu'ils vont faire ensemble quand je ne serai plus dans le décor… ou ce qu'ils ont déjà fait.

Tant pis si mes amies posent des questions. Je trouverai bien une façon de leur répondre sans blesser les sentiments de Marie-Pier… enfin, j'espère.

Tout s'est bien passé. Un peu trop bien, même. Pas de larmes, pas de surprise, pas de questions. Je crois que Jonathan s'attendait un peu à ce que j'en finisse, qu'il l'espérait, même. Il n'est pas un mauvais gars, après tout. J'ai l'impression qu'il préférait que je parle la première, pour ne pas me faire de peine. Il est du genre à se sauver en courant en voyant la moindre larme se pointer dans les yeux d'une fille. Il se débrouille très bien avec les filles heureuses, joyeuses, amoureuses; quand la fille en question tombe du côté un peu plus sombre, ce n'est plus la même histoire... J'ai fini par comprendre qu'il y a des gars comme ça. Tant que ça va bien, ils sont heureux d'être là, mais quand on commence à se sentir un peu mal, ils ont le chic pour disparaître comme par magie.

Donc, nous revoilà tous les deux de retour dans le club des célibataires. J'ai l'impression que dans son cas, ça ne durera pas longtemps.

Dès mon arrivée au feu public, j'ai pris Jonathan à part et j'ai déballé mon sac. Deux minutes après, tout était terminé. Maintenant, je traîne autour du feu avec Marie-Pier et Lucas, mais le cœur n'y est pas. Je n'ai pas envie d'être ici. De toute façon, je travaille demain, alors ça me donne un bon prétexte pour partir.

Il fait beau, ce soir. Un vrai soir de juillet, du genre « été en ville », ce qui n'arrive que rarement par ici. Autant en profiter, même si ce n'est pas au feu... même si c'est toute seule. Je décide de marcher un peu sur la plage.

Ma décision de me diriger vers l'est n'a rien à voir avec le fait que c'est par là que j'ai rencontré Benjamin, un certain soir, il y a un siècle de cela. Les choses changent tellement, et tellement vite ! À ce moment-là, le peu que je savais de lui me paraissait si peu intéressant ! Maintenant... maintenant, je dois avouer que je suis un peu déçue en constatant qu'il n'est pas là. La plage est déserte. Il doit être dans son atelier, à réaliser un nouveau projet…

En revenant sur mes pas, je sens soudain sous mon pied un objet dur. Une étoile de mer ! Il y a des années que je n'en ai pas vu. Quand j'étais petite, je faisais la chasse aux étoiles de mer. Elles me fascinaient. Je cherchais toujours celle qui aurait une forme parfaite, les pattes pas trop courbées, sans algue dessus… Je ne l'ai jamais trouvée. Et maintenant que je ne la cherchais plus, la voilà, mon étoile idéale. La forme, la taille, la couleur, tout y est. Elle est déjà à moitié séchée et pas cassée du tout. Parfaite, vraiment.

Je la ramasse doucement, comme si c'était un bijou précieux et fragile, et je rentre chez moi.

Ma mère est encore debout. Ça m'énerve. J'ai l'impression qu'elle attendait juste que j'arrive pour aller se coucher. Je suis sûre qu'elle me surveille. Je serre les dents.

— Je suis rentrée, tu peux arrêter de t'inquiéter !

— Je ne m'inquiétais pas, je lisais !

C'est vrai, elle a un livre dans la main et elle me regarde comme si j'étais mûre pour l'asile. Ça me fâche encore plus. Je lance de mon ton le plus hargneux :

— Tu vas être contente, je n'ai plus de chum. J'ai laissé Jonathan.

— Oh, Alissa, je suis désolée ! Est-ce que ça va ?

Mon œil, qu'elle est désolée ! Et c'est quoi cette histoire de faire semblant qu'elle se soucie de comment je vais ? Est-ce qu'elle s'imagine que je vais la croire ?

Le pire, c'est que j'ai *envie* de la croire. Elle a l'air sincère. Sincèrement désolée, et sincèrement inquiète de mon état. À mon grand désespoir, je sens les larmes me monter aux yeux. Je ne sais même pas pourquoi. J'étais soulagée de quitter Jonathan, je savais que c'était la meilleure chose à faire, non ? Alors, pourquoi est-ce que je pleure ?

Ma mère me frotte le dos avec l'air de se demander quoi faire pour me consoler. Ses gestes sont plutôt maladroits. Elle et moi, on ne fait pas tellement dans les grandes effusions.

— Ma pauvre chérie…

— Ça va… Je suis juste… fatiguée…

Elle prend mon visage entre ses mains et essuie mes joues mouillées.

— Alissa… Je n'ai jamais dit que je ne voulais pas que tu aies un chum. C'est juste que je voudrais tellement que tu trouves quelqu'un de bien… que tu ne fasses pas les mêmes erreurs que moi…

Elle a trouvé en plein les mots qu'il fallait pour sécher mes larmes. Du coup, je suis tellement hors de moi que j'en oublie de pleurer.

— Oui, je sais ! Ça fait des années que tu me répètes la même maudite affaire ! Je suis écœurée d'entendre toujours le même discours ! Je le sais, que tu veux que je finisse mon secondaire ! Et je le sais, que tu as peur que je tombe enceinte ! Mais tu sais quoi ? Jonathan n'aurait pas pu nuire à mes études, on est en vacances. Et pour tomber enceinte, il faut coucher avec un gars, non ?

Elle a l'air complètement sonnée par mon brusque changement d'humeur.

— Alissa, voyons…

— Lâche-moi avec tes « Alissa, voyons » ! Tu le dis toi-même que tu as fait des erreurs, alors avant de me faire la morale, tu pourrais te regarder !

Elle me dévisage avec des yeux ronds, comme si elle avait peur de moi, tout à coup. Tant mieux. Je la plante là et claque la porte de ma chambre… avant d'aller m'effondrer sur mon lit, où je finis par m'endormir à force de pleurer.

J'étais vraiment fatiguée, hier soir. Ce matin, ça va mieux. Pas assez, cependant, pour que j'aie envie de parler avec ma mère. J'ai dit que j'allais mieux, pas que j'avais perdu la tête! Elle fait bien une tentative, pendant que je me sers un bol de céréales, mais je l'ignore complètement. Alors elle soupire, avale sa dernière gorgée de café et me conseille de me dépêcher si je ne veux pas être en retard. Toujours cette manie de vouloir me contrôler...

Ce n'est pas la première fois que je suis de mauvaise humeur quand j'arrive chez madame Rose, mais habituellement, elle fait semblant de n'avoir rien remarqué et m'épargne ses commentaires. Pas aujourd'hui.

— Qu'est-ce qui se passe, Alissa ? Tu n'as pas l'air dans ton assiette.

Mon cerveau me joue des tours. Alors que je voulais répondre « Non, ça va très bien », je m'entends lui déballer toute mon histoire : comment j'ai finalement compris que Jonathan et moi, ça ne pouvait pas marcher; comment j'ai découvert à quel point, sous son sourire charmeur et ses beaux yeux, il n'y avait pas grand-chose de très attirant; comment je l'ai laissé hier soir et ma crise de larmes à la maison...

Madame Rose m'écoute sans m'interrompre une seule fois. Et sans s'émouvoir outre mesure de mes larmes. Oui, je pleure encore ! Pas à gros sanglots comme hier, mais quand même... Les larmes coulent, régulières, et je suis reconnaissante

à madame Rose de ne pas en faire de cas. Comme ça, je n'ai pas honte. Je n'ai pas l'impression de quêter sa pitié. Je ne suis pas à plaindre du tout, je ne suis même pas triste. En fait, je n'ai aucune idée pourquoi je pleure.

Quand je finis par me taire, madame Rose me tend une boîte de mouchoirs en secouant la tête.

— Pauvre Alissa, ne t'inquiète pas, tout le monde fait des erreurs.

Bon, encore une qui me parle d'erreurs ! Je vais finir par détester ce mot ! En reniflant, je lui fais remarquer qu'elle n'en a pas fait, elle, des erreurs. Elle est tombée tout de suite sur le bon gars et n'a jamais cessé de l'aimer, même après sa mort. Elle sourit.

— Il y a toutes sortes d'erreurs. Moi, j'ai cru que mon bonheur serait éternel. Que c'était mon dû, ce bonheur-là, et que rien ni personne ne pourrait me l'enlever. C'est pour ça que ça a été si dur quand Georges est décédé. Je trouvais que ce n'était pas juste.

— C'est vrai que ce n'était pas juste !

— Peut-être, mais j'aurais dû apprécier ce que j'avais quand je l'avais, au lieu de toujours vivre dans l'avenir... Quand Georges est revenu de la guerre, je ne pensais qu'à notre mariage. Une fois mariée, j'avais tellement hâte que la maison soit parfaite, avec les rideaux de la bonne couleur et les nappes qui s'agençaient avec les assiettes, que j'en devenais obsédée. C'était même un sujet de plaisanterie entre Georges et moi… Chercher ce que je pouvais améliorer, c'était devenu un travail à temps plein ! Puis, une fois que la maison a été à mon goût, j'ai commencé à penser à un bébé, à avoir hâte d'en bercer un dans mes bras… Quand je suis tombée enceinte, j'étais tellement euphorique que je ne voyais rien autour de moi… Puis Georges est mort, Marguerite aussi, et je me suis rendu compte de tout le temps que j'avais gaspillé à attendre quelque chose, à avoir hâte à l'avenir au lieu de savourer le présent.

Elle est sage, madame Rose. D'accord, elle est vieille, et à son âge, on a eu le temps de devenir sage, mais quand même, elle a compris des choses que bien des gens ne comprendront jamais de leur vie. Quand je pense que certains la croient folle…

Je sèche une dernière larme puis lui fait remarquer :

— Dans le fond, il n'y en a pas beaucoup, des gens qui profitent vraiment du moment présent. On a toujours hâte à quelque chose…

— Oui, malheureusement. Tu sais ce qu'on dit… c'est seulement quand on perd ce qu'on a qu'on se rend compte de sa valeur.

Étrangement, je pense tout de suite à Jonathan. C'est tout à fait le contraire dans son cas : maintenant que je l'ai « perdu », je me rends compte à quel point ce qu'il m'apportait ne me convenait pas.

Et je me sens beaucoup mieux.

Chapitre 12

Je m'ennuie de Benjamin. Ça me tue de l'admettre, mais c'est vrai. Il me manque. Ou plutôt non, ce n'est pas lui qui me manque, mais nos soirées dans son atelier. Je me sentais bien, là-bas. Je ne me creusais pas la tête, je me laissais porter par les événements, par les conseils de Benjamin, et tout semblait tellement facile…

Mon coffret à bijoux est terminé depuis une semaine et je n'ai pas encore trouvé comment le décorer. Assise sur mon lit, je le tourne et le retourne entre mes mains, essayant de voir ce que je pourrais bien faire avec. Je suis contente de mon œuvre. Ce n'est pas de l'art comme peut en faire Benjamin, mais c'est la première fois que je bâtis quelque chose de mes mains, à part les bricolages en carton des cours d'arts plastiques au primaire. Ça compte pour quelque chose, non ?

Maintenant, je comprends un peu mieux Benjamin et sa passion pour le bois. C'est fascinant de voir un objet naître sous ses mains, de voir qu'on peut créer quelque chose de solide, de durable. Quelque chose qui restera.

Je soupire et remet mon coffret dans le tiroir de ma table de chevet. J'ai besoin de sortir, de me changer les idées. Je ne vais quand même pas passer la soirée terrée dans ma chambre comme une ermite, à penser à Benjamin Côté et à son atelier !

Juste avant de fermer la porte, j'aperçois, sur un coin de ma commode, mon étoile de mer. Celle que j'ai trouvée sur la plage le soir de ma rupture avec Jonathan. Un déclic se fait dans ma tête : je devrais l'offrir à Benjamin. Après tout ce qu'il a fait pour moi en m'ouvrant la porte de son atelier, en me donnant tous ses conseils, en me laissant envahir son espace, il faut que je le remercie. Il faut qu'il sache que je n'ai pas oublié, même s'il ne se doute sûrement pas de l'importance que ces soirées ont eue pour moi.

Pour une fille qui se disait il y a trois secondes qu'elle devrait arrêter de penser à Benjamin et à son atelier, je trouve que je change d'idée plutôt vite…

Il est dans son atelier, évidemment. Et, évidemment, il ne me voit pas entrer. Encore une fois, je le regarde travailler, émerveillée par son talent. Il me semble que je pourrais l'observer pendant des heures.

Les mains de Benjamin me fascinent. Je n'ai jamais vu personne se servir de ses mains comme lui. Elles ne sont ni très grandes, ni très fortes, elles sont tout ce qu'il y a de plus ordinaire, mais quand il travaille... on a l'impression que toute sa vie se concentre dans ses mains. Il a des gestes doux, patients, presque respectueux. Et solides en même temps. Il sait où il s'en va, il sait ce qu'il a à faire et il met tout son cœur dans son morceau de bois.

Je me demande l'effet que ça ferait d'avoir ces mains-là sur moi...

HEIN ?!? Qu'est-ce qui me prend ??? Sans réfléchir (il ne faut surtout pas que je réfléchisse à ça !), je demande un peu trop fort :

— Salut, Benjamin, comment ça va ?

Mon ton n'a rien de naturel et mes mains à moi tremblent un peu. Heureusement, il ne remarque rien d'anormal. Il me sourit, presque comme s'il s'attendait à me voir là.

— Bien, et toi ? Ça fait longtemps qu'on s'est vus !

— Mon coffret était fini, je n'avais plus vraiment de raison de venir...

Je m'attends à ce qu'il réponde que je n'ai pas besoin d'invitation, que je suis toujours la bienvenue, mais il ne dit rien. Un peu déçue (vraiment, je suis tombée sur la tête), je continue :

— Je t'ai apporté quelque chose.

Il a l'air surpris. Très surpris, même. Et quand je sors l'étoile de mer de mon sac à dos, il me regarde avec un drôle d'air. C'est vrai que ça peut paraître bizarre comme cadeau... Je regrette aussitôt de l'avoir apportée. Je dois avoir l'air complètement folle.

Mal à l'aise, je tente de m'expliquer :

— Je l'ai trouvée l'autre soir, sur la plage. Quand j'étais petite, j'en cherchais tout le temps. Je croyais que c'étaient de vraies étoiles qui tombaient dans l'eau. Et tantôt, quand je l'ai vue dans ma chambre, j'ai pensé à toi... Parce que tu aimes la mer et les étoiles... J'ai pensé que tu aimerais l'avoir. Elle est parfaite, tu sais. Mais si tu ne la veux pas, ce n'est pas grave...

Le sourire qu'il me fait... J'ai l'impression d'avoir bredouillé n'importe quoi et pourtant, je sens qu'il a parfaitement compris. Il a l'air tellement content que c'en est presque gênant. J'ai envie de lui dire que ce n'est rien du tout, cette étoile, comparée au temps qu'il m'a accordé dans son atelier hors du monde, mais il ne me laisse pas ajouter un mot. Il prend mon cadeau en me disant : « Oui, elle est parfaite. Merci beaucoup, Alissa. »

Voir mon étoile entre ses mains me donne un petit frisson dans la colonne vertébrale. Et la joie dans ses yeux, et la façon dont il prononce mon nom…

Je bafouille un « Bon, je vais y aller, maintenant » et je sors presque comme une voleuse, pressée de le quitter, lui… et toutes ces sensations bizarres qui viennent de me tomber dessus.

J'ai passé l'après-midi dans la chambre de Marguerite. Pourtant, je ne suis pas plus calme, et encore moins rassurée. J'ai l'impression que le monde s'écroule. En tout cas, une partie de mon univers à moi.

Madame Rose a décidé de vendre sa maison. Ça ne devrait pas me faire un pli, puisque j'aurai fini de travailler dans quelques semaines; pourtant, quand elle me l'a annoncé, j'ai eu l'impression que le ciel me tombait sur la tête.

Ça m'a pris du temps avant de trouver pourquoi la nouvelle m'affecte autant. Des heures à me bercer m'ont finalement fait comprendre que je n'aime pas que les choses finissent. Je voudrais que tout soit éternel. Je voudrais être sûre que quelque chose, quelque part, dans ma vie, restera toujours pareil. Mais tout change et je me sens complètement déstabilisée. Comme si je vivais sur un bateau qui tangue et que je ne savais pas quand je vais finir par tomber à l'eau.

Olivia et moi, on ne parle plus que de ça, cette décision de nos deux dames de partir en centre d'accueil. C'est madame Angélique qui a ouvert le bal, même si je les soupçonne d'avoir longuement discuté, elle et madame Rose, avant de prendre leur décision ensemble. Lundi, madame Angélique a annoncé qu'elle mettait sa maison en vente parce qu'elle ne pouvait plus continuer à l'entretenir et parce qu'elle serait plus tranquille en centre d'accueil, où elle aurait de l'aide en cas de besoin. Je peux comprendre. Madame Angélique a de la difficulté à se déplacer, même avec sa marchette. C'est presque un miracle qu'elle soit restée dans sa maison aussi longtemps. D'ailleurs, Olivia n'a pas semblé surprise non plus. Mais madame Rose ? Madame Rose est encore parfaitement autonome, elle n'a besoin de personne, surtout pas de moi, et elle adore sa maison ! Comment peut-elle penser qu'elle sera plus heureuse ailleurs quand tous ses souvenirs sont ici ? Elle va dépérir, en centre d'accueil ! Pourquoi a-t-elle pris une pareille décision ?

La réponse est évidente. Madame Rose s'en va parce que madame Angélique ne sera plus là et qu'elles peuvent à peine respirer l'une sans l'autre. Quand l'une décide quelque chose, l'autre suit. Si l'une a une opinion sur quelque chose, l'autre va calquer sa propre opinion dessus.

J'ai le cœur gros mais je garde mes sentiments pour moi. J'aide madame Rose à faire ses boîtes sans dire un mot. Aujourd'hui, elle a décidé d'empaqueter ses albums de photos. Ça n'a pas tellement avancé puisque avant de les mettre dans les boîtes, il fallait qu'elle les regarde un à un, de la première à la dernière page. Et qu'elle me raconte l'histoire derrière chaque photo, évidemment.

Cette fois, cependant, j'ai vraiment écouté. J'ai posé des questions. J'ai essayé d'imaginer les gens en couleurs, vivant, parlant et bougeant. J'ai senti à quel point madame Rose avait été heureuse avec son mari, et comme il lui manque encore. Je le savais déjà, mais aujourd'hui... aujourd'hui, c'est différent. Aujourd'hui, je l'ai *senti*. Aujourd'hui, j'ai vraiment compris, pas seulement avec ma tête, mais avec mon cœur et mes tripes, que madame Rose a déjà eu mon âge et que je serai vieille comme elle un jour. C'est peut-être pour ça aussi que son déménagement me touche autant...

J'ai fini par m'endormir dans la chaise berçante. Je me réveille en sursaut en entendant sonner le téléphone. Je sors de la chambre à toute vitesse en espérant que madame Rose dort encore. Ouf, elle est toujours dans son lit ! Ce n'est pas que je me sente coupable d'aller dans la chambre de Marguerite, c'est juste que… je ne sais pas. J'aime mieux qu'elle ne soit pas au courant.

C'est un faux numéro. Je raccroche et vais m'asseoir dans le divan avec l'un des albums de madame Rose. Celui de son mariage. Mon préféré.

— C'est vrai ce qu'on dit, que le jour de son mariage, c'est le plus beau jour dans la vie d'une femme. C'était vrai dans mon temps, en tout cas.

Je sursaute encore.

— Oh, madame Rose ! Je ne vous avais pas entendue descendre !

Elle s'assoit à côté de moi.

— Racontez-moi encore comment vous vous êtes connus.

Je sais qu'elle ne dira pas non, rien ne lui fait plus plaisir que de raconter cette histoire. Et ça commence à me faire vraiment plaisir de l'entendre, comme les enfants qui demandent toujours le même conte à leurs parents quand vient l'heure d'aller dormir.

— On s'est connus, comme tu dis, au primaire. Le jour où un « grand » de deuxième année m'a volé ma boîte à lunch. Georges est allé la récupérer pour moi et il a gagné ma reconnaissance éternelle. Déjà, c'était mon héros ! Il avait deux ans de plus que moi, tu imagines, pour moi, c'était un géant... Ce jour-là, j'ai décidé que ce serait lui, mon mari, et pas un autre. J'avais la tête dure. Ça n'a pas beaucoup changé, d'ailleurs.

Je souris. Elle continue :

— Lui, il ne m'a pas vraiment remarquée, ce jour-là. Il aurait fait la même chose pour n'importe qui, garçon ou fille. Mais j'étais patiente. J'ai attendu longtemps avant de passer à l'attaque. Le jour où j'ai eu quinze ans, je suis allée le voir, je lui ai annoncé : « C'est ma fête ! » et je l'ai presque obligé à m'embrasser sur les deux joues. Puis je lui ai dit que j'aimerais beaucoup me promener avec lui sur la plage et il a accepté. Parce qu'il était trop poli pour dire non ! Il m'a avoué plus tard qu'il m'avait trouvée plutôt bizarre et un peu trop décidée à son goût, mais l'important, c'est que ça a marché !

— Ça devait être rare, dans ce temps-là, qu'une fille fasse les premiers pas...

— Ça devait, oui ! Mais je n'ai pas demandé l'opinion de tout le monde avant de me décider. Je savais ce que je voulais.

Je pense à ce que mes amis m'ont raconté. Si madame Rose passe pour une femme bizarre dans le village, c'est peut-être simplement parce qu'elle était un peu en avance sur son temps… Aujourd'hui, plus personne ne s'étonne quand une fille fait les premiers pas, mais il y a cinquante ans, ça faisait peut-être des histoires… Et les gens ont toujours peur de ceux qui sont différents. Parce qu'ils ne les comprennent pas, ils s'en moquent. Ils inventent des histoires à leur sujet.

J'ai l'impression de voir madame Rose sous un jour nouveau. Moi qui, au début de l'été, en rajoutais quand mes amies se moquaient d'elle, j'ai maintenant envie qu'on la respecte comme elle le mérite et qu'on la reconnaisse pour ce qu'elle est : quelqu'un de fort, de fidèle, pas une vieille folle qui parlerait à ses fantômes et porterait sa robe de mariée le dimanche.

Je lui souris, la gorge un peu serrée, en faisant un effort pour garder le fil de la conversation.

— C'est Georges que vous vouliez. Et vous l'avez eu.

Elle me sourit à son tour, d'un sourire de petite fille.

— Oui, je l'ai eu.

Je l'envie. C'est fou, c'est complètement irrationnel, parce qu'on fait difficilement plus triste que son histoire, et pourtant… je la trouve chanceuse d'avoir vécu un amour comme celui-là. C'est quoi, la formule consacrée ? « … jusqu'à ce que la mort nous sépare. » Même séparée de son mari par la mort, elle l'aime encore. C'est fort, ça. Ça a quelque chose de rassurant. Quelque chose que j'aimerais connaître… que j'aimerais que mes parents aient connu.

— Si ma mère et mon père s'étaient aimés comme ça, ma vie aurait été beaucoup plus facile.

Est-ce que je viens vraiment de dire ça ? Moi qui ne parle jamais de mon père à personne, qui essaie même parfois de me convaincre que ma mère a réussi à me fabriquer toute seule ?

Madame Rose secoue la tête.

— C'est sûr que ça aurait été différent, mais pas nécessairement mieux. Et pas nécessairement plus facile non plus.

— Oh, c'est sûr que ça aurait été mieux ! Vous ne connaissez pas ma mère !

Elle me regarde droit dans les yeux.

— Je la connais plus que tu penses, Alissa. Je vais souvent au centre d'accueil, l'hiver, pour les activités. Les journées sont longues, des fois, et elles passent plus vite comme ça… Elle est toujours là, ta mère. Et devine de qui elle parle ?

Je hausse les épaules sans répondre.

— De toi, évidemment !

Ma mère parle de moi à ses vieux ? De quel droit ? D'accord, elle est ma mère, mais elle n'a pas à raconter ma vie à des inconnus ! Furieuse, je dois me retenir pour ne pas bondir de mon fauteuil et aller lui dire ses quatre vérités, à cette chère maman.

— Elle parle de moi ? Pourquoi ?

Madame Rose sent qu'elle vient d'allumer un volcan. Elle prend ma main, mais je la retire aussitôt. Je ne veux surtout pas qu'elle me touche.

— Alissa... Tu ne sais même pas ce qu'elle dit.

— J'imagine très bien !

— Elle est fière de toi, ta mère. Elle ne sait peut-être pas toujours comment te le montrer, mais elle est fière de toi et elle t'aime.

Là, elle vient de me couper le sifflet, et d'éteindre le volcan par la même occasion.

— Elle a dit ça ?

— Pas avec ces mots-là comme tels, mais ça paraît dans ses yeux chaque fois qu'elle prononce ton nom. Je crois qu'elle est un peu dépassée, elle ne te comprend pas toujours, mais... elle t'adore. Elle n'a plus ses parents, elle est célibataire, te rends-tu compte que tu es la seule personne vraiment importante dans sa vie ?

— Oui, et ce n'est pas de tout repos ! Elle est toujours sur mon dos ! J'aimerais mieux qu'elle ait un chum, peut-être qu'elle oublierait de me surveiller, des fois…

Madame Rose me tapote à nouveau la main et cette fois, je la laisse faire.

— Je la comprends. J'aurais été pareille. Ne sois pas trop dure avec elle. Parle-lui… elle ne demande que ça.

Ça me surprendrait ! Ma mère ne veut pas que je lui parle, elle veut juste que je l'écoute… Mais madame Rose a semé un doute dans mon esprit.

Chapitre 13

— Maman ?

— Oui ?

J'ai tourné et retourné la question longtemps dans ma tête, pour en arriver à la conclusion que la forme la plus directe serait la meilleure. Donc, je plonge :

— Est-ce que tu regrettes de m'avoir eue ?

C'est sûr qu'elle va répondre non, personne au monde, à moins d'être de la dernière cruauté, ne répondrait oui, mais sa façon de réagir sera la meilleure réponse.

Elle pose son livre brusquement.

— Quoi ?

— Est-ce que tu regrettes que je sois née ? Trouves-tu que tu aurais dû me donner en adoption, ou te faire avorter, ou…

— Jamais de la vie ! Qu'est-ce qui te fait dire ça ?

Je hausse les épaules, une grosse boule dans la gorge. Pourtant, je m'étais promis de ne pas pleurer, de rester parfaitement froide et distante et de ne pas montrer à ma mère à quel point ses réponses pouvaient m'affecter.

Je ne tiendrai pas ma résolution longtemps.

— Tu me cries toujours après, tu as l'air de trouver que je ne fais jamais rien comme il faut, j'ai l'impression que je t'apporte juste des problèmes…

Elle ouvre la bouche, la referme, l'ouvre à nouveau. Un ange passe, puis deux, puis trois, et ma mère a toujours son air incrédule. Au bout de plusieurs secondes, elle referme la bouche et soupire.

— Alissa… Tu as raison, je crie souvent, mais c'est parce que je suis fatiguée, que je manque de patience… pas parce que je regrette de t'avoir eue ! Qu'est-ce que je ferais si tu n'étais pas là ?

— Tu pourrais sortir, tu aurais plus de temps, plus d'argent, et tu t'inquiéterais moins…

— Je ne veux pas avoir plus de temps ni plus d'argent ! Je veux ma fille ! Et si je m'inquiète autant, c'est parce que je ne pourrais pas supporter qu'il t'arrive quelque chose, que quelqu'un te fasse du mal ou de la peine... Comme n'importe quelle mère, j'imagine, mais comme j'ai toujours été toute seule pour t'élever, c'est peut-être pire... Mon Dieu, Alissa, ça fait longtemps que tu te poses ces questions-là ?

Incapable de prononcer un son, je hoche la tête.

— Ma chérie... Tu aurais dû m'en parler avant. Je suis désolée. Désolée, chérie...

Une fraction de seconde plus tard, je me retrouve dans ses bras. Ça y est, je pleure comme un bébé.

Maman me pousse doucement vers le divan, où elle s'assoit avec moi sans desserrer son étreinte.

— Alissa chérie, je n'ai jamais regretté de t'avoir eue. Jamais une seule seconde. Je n'ai pas choisi de tomber enceinte, mais j'ai choisi de te garder. C'est vrai que j'aurais pu te donner en adoption ou me faire avorter, mais il n'en a jamais, jamais été question, m'entends-tu ? Jamais ! Du moment que j'ai su que tu étais dans mon ventre, tu étais mon bébé et il n'était pas question que je t'abandonne. Je ne dis pas que ça a été facile tout le temps. Ça a même été très dur au début. Mes parents n'étaient pas d'accord avec mon choix, j'avais l'impression que tout le monde me jugeait et me pointait du doigt, mais tu sais quoi ? Je m'en fichais. Parce que je t'avais, toi.

J'ai peine à croire ce que j'entends. Elle paraît tellement sincère ! Et l'air qu'elle a en me parlant... Elle ressemble à la maman de mon enfance, quand j'étais encore trop petite pour qu'elle se tracasse à propos d'histoires d'école et de chum. Elle continue :

— Tu étais tellement belle quand tu es née, avec ta petite bouche et tes grosses joues ! Et plus tard, avec tes tresses, et à ta première journée d'école, avec ta boîte à lunch et ta robe rose... Mon Dieu, j'ai tellement pleuré cette journée-là ! Et tu es encore plus belle maintenant !

— Maman, franchement...

— C'est vrai, Alissa. Tous les jours, je te regarde et je me demande comment j'ai pu faire une aussi belle fille.

— Il faut dire que tu n'es pas mal non plus.

Elle éclate de rire.

— Merci !

Notre discussion est bien partie, elle a l'air d'humeur à faire des confidences... Profitons-en.

J'ai d'autres questions, aussi vitales que la première. Je me lance.

— Et mon père… Maman, je ne sais pas grand-chose de mon père. Chaque fois que j'ai voulu t'en parler, tu as changé de sujet. Mais j'aimerais vraiment savoir… Il était comment ? Comment vous vous êtes rencontrés ? Pourquoi vous êtes-vous séparés ? Pourquoi il n'est jamais venu me voir ?

En posant la dernière question, je sens mes yeux se remplir de larmes à nouveau. Ma mère ne s'en rend pas compte, absorbée par ses pensées. Elle est redevenue sérieuse, songeuse même.

— Ton père… Ah, ton père ! C'était le plus beau. Tu as ses yeux.

— Ça, je le sais, tu me l'as déjà dit. Il s'appelait comment ?

— Jérémie. Il était grand, blond, c'était le meilleur athlète de l'école, le plus populaire aussi. Toutes les filles lui couraient après…

Mon Dieu, on croirait qu'elle décrit Jonathan.

— … mais c'est moi qu'il a choisie. À partir de ce moment-là, il n'en a plus regardé une autre.

Non, finalement, ce n'est pas du tout Jonathan.

— Il était très intelligent aussi. Poli, cultivé…

— S'il était si parfait que ça, pourquoi il t'a laissée quand tu es tombée enceinte de moi ? Ça prenait un beau salaud pour t'abandonner dans cet état-là, non ?

Elle me caresse les cheveux sans rien dire pendant quelques secondes.

— Ça ne s'est pas passé tout à fait comme tu penses. Jérémie ne m'a pas laissée quand il a su que j'étais enceinte. On s'était laissés bien avant… quand il est parti pour le cégep. Il était plus vieux que moi de deux ans et c'est moi qui ai décidé de rompre. Je ne voulais rien savoir d'une histoire d'amour à distance, ce n'était pas mon genre d'attendre six mois pour passer quelques semaines avec mon amoureux et le voir repartir pour un autre six mois…

Je la comprends, je serais pareille. Quand on est amoureuse, on a envie d'être avec son chum, pas de passer son temps à se morfondre en l'attendant… Mais il y a quelque chose qui cloche dans son histoire.

— Mais alors, si vous vous êtes laissés à ce moment-là… Ça veut dire que tu étais en fin de troisième secondaire ?

— Exactement.

— Tu m'as toujours dit que tu étais tombée enceinte juste avant de commencer ta dernière année de secondaire !

— Oui. L'été de mes seize ans, on s'est revus à un party et… bon, pas besoin de te faire un dessin. On a passé la nuit ensemble. Sans rien se promettre, sans s'attendre à se revoir… Une seule nuit. Un mois plus tard, j'ai fait le test de grossesse. Et voilà.

Je suis sous le choc. Ce n'est pas du tout ce que j'avais imaginé.

— Mais… lui, Jérémie, tu lui as dit que tu étais enceinte ?

Je ne lui pardonnerai jamais si elle me répond que non.

— Oui, je le lui ai dit. Il avait le droit de savoir. On t'avait faite à deux, je n'étais pas toute seule là-dedans ! Mais avant même de le lui annoncer, j'étais vraiment décidée.

— Décidée à quoi ?

— Je ne voulais pas qu'on reprenne. Pas juste parce que j'étais enceinte… pas juste à cause d'une nuit. Tu comprends, pendant l'année où il avait été parti, j'avais eu un autre chum, j'avais pas mal oublié Jérémie…

— Pourtant, tu as couché avec !

Là, elle a l'air un peu mal à l'aise. Un peu triste, aussi.

— Oui, c'est vrai… Écoute, Alissa, je… je ne l'ai jamais dit à personne, mais si j'ai couché avec lui, cette nuit-là, c'est parce que je l'aimais encore. Je n'avais pas beaucoup pensé à lui pendant qu'il était parti, mais quand je l'ai revu, à ce party-là… tu ne peux pas savoir ce que ça m'a fait. C'était comme dans les films, tu sais ? Quand l'héroïne rencontre l'homme de sa vie… Sauf que moi, je l'avais déjà eu à moi, cet homme-là, et c'est moi qui l'avais rejeté. On a fait l'amour, c'était merveilleux, je pensais qu'il allait me rappeler après… mais il ne l'a pas fait. Ça m'a blessée, mais je n'ai pas voulu lui montrer que j'avais mal. Je ne l'ai montré à personne. Personne n'a jamais su à quel point ça m'a brisé le cœur quand j'ai appris, quelques semaines plus tard, qu'il avait une nouvelle blonde. Je lui ai téléphoné, je lui ai donné rendez-vous sur la plage… je m'en rappellerai toujours, c'était un jeudi soir, il faisait tellement beau, la mer était calme comme une huile… et je lui ai dit que j'étais enceinte. Ça lui a donné un méchant choc, tu peux me croire. Sa première réaction, ça a été de me demander si je voulais qu'on reprenne. Il était prêt à revenir avec moi, à prendre ses responsabilités, mais j'ai dit non. J'aurais passé le reste de ma vie à me sentir coupable. Tout le monde aurait dit que j'avais fait exprès de tomber enceinte pour le récupérer, il l'aurait peut-être même pensé lui aussi. Et je voulais quelqu'un qui m'aimerait pour moi, tu comprends ? Qui vivrait avec moi par amour… pas par « responsabilité ».

— Mais tu n'as jamais trouvé personne d'autre, non ?

Elle secoue la tête.

— Non. Il y a bien eu quelques histoires, jamais sérieuses, mais j'ai fait attention que tu ne t'aperçoives de rien. J'avais trop peur que tu t'attaches à un homme et qu'on se fasse jeter, toutes les deux. Moi, j'y aurais survécu sans trop de problèmes. Mais je n'aurais pas supporté de te voir souffrir par ma faute.

Mon Dieu, c'est affreusement triste, comme histoire… Et tellement loin de ce que j'imaginais ! La peine de ma mère me brise le cœur. Et pourtant… pourtant, d'une certaine manière, je me sens plus légère. Mon père n'était pas un salaud. Mon père était prêt à rester avec ma mère, à rester avec nous deux. D'accord, il n'a pas l'air d'avoir insisté beaucoup, mais au moins, il n'a pas demandé à ma mère d'avorter quand il a su que je poussais dans son ventre.

Ma mère a les yeux pleins d'eau, elle aussi. Je sais que mes questions lui font mal, mais maintenant que nous sommes rendues aussi loin, autant aller jusqu'au bout.

— Et Jérémie, il n'a pas essayé d'avoir de tes nouvelles après ? De *mes* nouvelles ?

— Je lui ai téléphoné quand tu es née. Et quelques fois par la suite. Je lui ai envoyé des photos. Il est venu te voir à quelques occasions les deux premières années. Mais à un moment donné, j'ai coupé les ponts.

— Pourquoi ?

— C'était trop dur. Tant qu'il n'était pas là, je réussissais à l'oublier, ou du moins à faire semblant. Mais dès qu'il réapparaissait, je retombais amoureuse. Peut-être même un peu plus chaque fois. Et puis, c'était tellement injuste ! Il avait une vie, lui, il avait une blonde, alors que moi, je me retrouvais toute seule avec un bébé, je ne sortais jamais, j'avais dû abandonner mes études… Je lui en voulais. Je sais que je n'aurais pas dû, c'était ma décision de te garder et de le tenir à l'écart, mais je lui en voulais de ne pas être là. C'est moi qui me tapais tout le travail, les nuits blanches, les rages de dent, les regards malveillants, et lui, il continuait sa petite vie tranquille… Alors, un jour, je lui ai demandé d'arrêter de venir.

— Tu ne l'as jamais croisé dans le village ? Et ses parents à lui, ils n'ont pas essayé de garder le contact avec moi ?

— Ses parents ont déménagé. Lui, il a trouvé un emploi à Québec après ses études et il n'est jamais revenu par ici. Ou en tout cas, s'il est revenu, il ne m'a jamais donné de nouvelles. Et ses parents ne sont pas au courant. Je lui ai fait promettre de ne jamais leur en parler. On ne sortait pas ensemble quand on t'a conçue, alors, le père aurait pu être n'importe qui… C'est un peu pour ça, aussi, que je ne t'ai jamais beaucoup parlé de ton père. J'avais peur que tu commences à raconter à tout le monde qu'il s'appelait Jérémie, et alors les gens auraient deviné… J'aime mieux que personne ne le sache.

Je lui en veux un peu. C'est bête comme prétexte pour m'avoir gardée dans l'ignorance pendant seize ans.

— Tu ne m'as jamais parlé de mon père parce que tu avais peur de ce que les gens allaient dire ?

— Non, Alissa, parce que j'avais peur de ce que *ses parents* allaient dire ou faire. Ils auraient sûrement essayé de nous recoller ensemble, ils m'auraient obligée à leur faire une place dans notre vie, ils auraient demandé des droits de visite, je ne sais pas quoi… Ils étaient un peu envahissants, je ne m'étais jamais très bien entendue avec eux…

Alors, je ne voulais rien savoir de les garder dans ma vie. Dans *notre* vie ! Non, ce que les gens allaient dire, je m'en fichais. Ils ont déjà tellement parlé dans mon dos quand ils ont su que j'étais enceinte ! De père inconnu, en plus ! Ma mère s'arrachait les cheveux.

Je me radoucis.

— Je comprends.

Un silence, puis ma mère reprend :

— Tu n'étais pas une erreur, Alissa. Je n'ai jamais regretté que tu sois née. Mais j'ai regretté de t'avoir donné une vie comme celle-là, sans père, avec juste moi, qui en arrachais… Ça a été ça, mon erreur : de t'avoir privée de père. Tu méritais de le connaître, de passer du temps avec lui, mais quand je m'en suis rendu compte, il était trop tard. Je ne pouvais quand même pas l'appeler après dix ans et lui dire que là, j'étais prête, que je voulais qu'il prenne enfin sa place dans la vie de ma fille !

J'aurais envie de lui dire que oui, justement, elle aurait pu, mais elle a l'air tellement triste que je me tais. Elle baisse la tête.

— Je regrette de ne pas avoir été une meilleure mère. J'en ai passé, des soirées, à pleurer avec toi, à te bercer, à te chanter des chansons… Je chantais et les larmes coulaient toutes seules… Je me suis souvent demandé si j'avais vraiment pris la bonne décision. J'aurais peut-être dû m'accrocher à Jérémie, finalement, pour que tu connaisses tes deux parents... En fait, je vais passer le reste de ma vie à me demander si j'ai bien fait.

Elle a l'air au bord des larmes, ma pauvre maman. Maintenant que je connais l'histoire, j'aimerais revenir en arrière. Je la jugerais moins sévèrement, je pense. J'essaierais d'être plus patiente, plus compréhensive. Et ce serait un peu plus facile d'endurer ses interrogatoires et ses inquiétudes...

Émue, je fais un geste que je n'ai pas fait depuis une éternité : je la serre dans mes bras à l'étouffer.

— Tu t'es quand même bien débrouillée, maman.

Elle rit, d'un rire un peu bizarre qui sent les larmes.

— Merci ! C'est vrai que tu n'es pas si mal comme fille, toi non plus.

— Merci !

Je lui plante un baiser sur la joue et la laisse continuer son roman tranquille. Quelque chose me dit qu'elle va plutôt rêver à sa propre histoire pendant un bout de temps...

Ce soir, ma vie a changé. Je ne suis plus le fruit d'une grossesse non désirée, d'une relation qui a mal tourné. Je ne suis pas, comme je le pensais, la fille d'une étourdie et d'un salaud. J'ai été choisie. J'ai été aimée depuis ma naissance, et même avant. Ça fait une différence…

Ça fait TOUTE la différence.

Chapitre 14

Le matin me trouve l'esprit dans la brume et les yeux cernés. Je n'ai pas beaucoup dormi. Qui aurait pu dormir après une pareille conversation avec sa mère ? Après un tel changement dans sa perception de soi-même ? J'étais trop bouleversée. Trop... heureuse. Pour une fois que c'est le bonheur qui m'empêche de dormir ! La vie me semble tellement plus belle, tellement plus douce maintenant ! Malgré le manque de sommeil, je me sens pleine d'énergie. J'aurais envie de danser.

J'ai besoin de raconter tout ça à quelqu'un, sinon je vais exploser. Curieusement, ce n'est pas à Marie-Pier que je pense. Non, la première personne qui me vient à l'esprit, c'est Olivia. Olivia que je connais depuis quelques semaines seulement mais qui me comprendra mieux, j'en suis certaine, que ma meilleure amie. Marie-Pier ne me parle jamais de ses parents. Comme s'ils n'existaient pas. Tandis qu'Olivia... Elle aussi, elle a des problèmes avec ses parents, alors elle me comprendra. Je pourrai peut-être aussi lui donner un peu d'espoir... Je sens que la journée va s'étirer avant de trouver un moment pour être seule avec Olivia et lui raconter ma soirée. En attendant... en attendant, tiens, je vais en parler avec madame Rose. Après tout, c'est elle qui m'a suggéré d'avoir une bonne conversation avec ma mère. Elle va adorer !

Je viens à peine d'arriver chez madame Rose qu'on sonne à la porte. Je n'ai même pas le temps d'aller ouvrir qu'Olivia se matérialise subitement devant nous. Madame Rose lui dit bonjour comme si c'était la chose la plus naturelle au monde que de la voir surgir comme ça sans être invitée, les cheveux en bataille et les yeux brillants de fureur. Moi, impossible que je fasse semblant que rien ne cloche.

Elle ne regarde même pas madame Rose. C'est moi qu'elle fixe, comme si elle voulait me clouer sur place. Le pire, c'est que je n'ai vraiment, mais vraiment aucune idée de ce que j'ai pu faire pour la mettre dans un état pareil.

— Olivia ? Qu'est-ce qu'il y a ?

Elle inspire un grand coup puis lance :

— Si tu fais du mal à Benjamin, je ne te le pardonnerai jamais. Tu m'entends ? JAMAIS !

Alors là... je suis complètement perdue.

— Quoi ? Faire du mal à Benjamin ? Qu'est-ce que tu racontes ?

— Je n'aime pas qu'on se moque des gens que j'aime !

— Mais je ne me moque pas de lui ! Qu'est-ce qui te fait penser ça ?

— L'étoile de mer que tu lui as donnée l'autre jour...

— Ah, ça ! C'est juste une étoile que j'ai trouvée sur la plage, elle m'a fait penser à lui, alors je la lui ai donnée... Je ne vois pas pourquoi tu en fais tout un drame !

Au lieu de l'apaiser, ma réponse semble la rendre encore plus furieuse.

— Imagine-toi que pour Benjamin, ce n'est pas « juste » une étoile ! C'est ça le problème !

Mais qu'est-ce que Benjamin a bien pu lui raconter ? Et qu'est-ce qu'il s'imagine ?

Madame Rose profite d'un moment de silence pour glisser :

— Alissa a raison, Olivia... Ton histoire n'est pas très claire, si tu veux mon avis.

J'entends presque la petite voix dans le cerveau d'Olivia hurler qu'elle s'en contrefout, de l'avis de madame Rose, mais il lui reste encore assez de contrôle d'elle-même pour se taire. Elle me tend une boîte de carton que je n'avais pas remarquée.

— Tiens, il m'a demandé de te donner ça.

La boîte est carrée, blanche, lourde. Je n'ai aucune idée de ce qu'elle peut contenir. Je sens les yeux d'Olivia me fixer, me juger pendant que je l'ouvre. Mes doigts tremblent un peu quand je soulève le couvercle.

Pendant trois secondes, j'oublie de respirer.

Une étoile de mer en bois repose dans le fond de la boîte. La réplique exacte de celle que j'ai donnée à Benjamin : même forme, même taille, mêmes pointes parfaites. Elle est tellement belle que je n'ose pas y toucher. Finalement, je reprends mon souffle et passe un doigt sur le bois verni. J'ai l'impression de toucher quelque chose de vivant.

— Mon Dieu…

— Il a passé trois soirs à la faire.

Oui, et pour Benjamin, un soir, ce n'est pas une demi-heure… Je le revois encore, penché sur son établi, avec la poussière et l'odeur du bois flottant autour de lui, l'air concentré et grave, ses mains manipulant le bois avec un mélange de douceur et d'assurance.

— Il… elle est magnifique.

— Si tu veux mon avis, c'est ce qu'il a fait de plus beau jusqu'à maintenant.

La voix d'Olivia s'est radoucie. Elle a dû comprendre, d'après ma réaction, que s'il y eut un temps où je trouvais Benjamin ordinaire et même un peu bizarre, il ne me viendrait plus à l'idée de me moquer de lui. La métamorphose est radicale. Alors qu'elle est entrée prête à me découper en rondelles, elle me lance soudain avec un sourire en coin :

— Alors ?

— Alors, quoi ?

— Tu vas me raconter ce qui se trame entre vous deux ou il va falloir que je t'arrache les vers du nez ?

Le visage de madame Rose s'illumine. Je fronce les sourcils.

— Il ne se trame rien du tout. J'ai passé quelques soirées dans son atelier, je lui ai donné une étoile de mer, il m'en a fabriqué une en bois, et c'est tout. Il n'y a pas de quoi écrire un roman…

Olivia et madame Rose échangent un regard complice qui me tape royalement sur les nerfs. Le genre de regard « Ha ! Elle pense qu'elle va nous faire avaler ça ! » qui a le don de me mettre hors de moi. Je pousse Olivia vers la porte.

— Tu devrais y aller, madame Angélique va t'attendre.

— Si tu penses que tu vas t'en tirer aussi facilement…

— C'est ça, c'est ça. À plus tard.

C'est à peine si je me rends compte qu'elle quitte la pièce. L'étoile de Benjamin m'attire comme un aimant. Je suis un peu sous le choc. Personne ne m'a jamais fabriqué quelque chose d'aussi beau.

Madame Rose semble impressionnée, elle aussi. Elle dit tout bas :

— Il doit t'aimer beaucoup, ce garçon-là…

Je hausse les épaules.

— Il est gentil, c'est tout. On ne se connaît presque pas. C'est à peine si on se parle de temps en temps… On a juste passé quelques soirées ensemble, à travailler dans son atelier !

— Peut-être, mais les histoires d'amour, on ne sait jamais comment ça commence. Tu as l'impression qu'il ne se passait rien pendant ces soirées-là, mais vous avez partagé des moments privilégiés, tous les deux. Tu me corrigeras si je me trompe, mais il ne doit pas inviter n'importe qui dans son atelier, non ?

J'hésite, mais pas moyen de contourner la question :

— Je suppose que non…

— Des fois, ça prend des mois pour tomber amoureux. Des années. Plusieurs petits moments. Des dizaines, des centaines d'étincelles. Des milliers parfois…

— Comme vous avec Georges ?

Elle sourit, me fait un clin d'œil.

— Ne change pas de sujet !

C'est bien la première fois qu'elle refuse de parler de son héros ! Pour clore la discussion, je déclare de mon ton le plus autoritaire :

— Je ne suis pas amoureuse de Benjamin. Et il n'est pas amoureux de moi.

Du moins, je l'espère. De tout mon cœur. La dernière chose que je voudrais, c'est faire de la peine à Benjamin, et pas seulement parce qu'Olivia m'en voudrait pour le reste de ses jours. Benjamin ne mérite pas qu'on lui fasse du mal, ni moi ni personne.

Madame Rose me regarde comme si elle ne croyait pas un mot de ce que je dis, ce qui m'agace souverainement. Puis, comme s'il ne s'était rien passé, elle se lève en disant qu'elle est prête à aller chez madame Angélique.

Je voudrais être capable d'oublier le sujet aussi facilement, moi aussi...

Depuis que nous avons signé le traité de paix, Olivia et moi nous retrouvons souvent, l'après-midi, sur la plage derrière chez madame Rose et madame Angélique. Presque tous les jours, en fait, du moins quand il fait beau. On parle de tout et de rien et, surtout, on se vide le cœur au sujet de nos parents.

Aujourd'hui, le soleil plombe, il n'y a pas un nuage dans le ciel et pas le moindre souffle de vent. Pourtant, Olivia pourra bien m'attendre tout l'après-midi si ça lui chante, elle ne verra pas le bout de mon ombre sur la plage. Pas après la façon dont elle s'est moquée de moi ce matin avec madame Rose. Leurs petits regards en coin et leurs sourires complices m'ont enlevé toute envie de leur confier l'histoire de ma mère. Tant pis pour elles ! Elles ne savent pas ce qu'elles manquent !

Évidemment, une demi-heure après que madame Rose est montée à sa chambre, je trépigne. Olivia n'a pas commis un crime, tout de même... Je me retrouve donc avec mes sandales aux pieds, en route vers la plage. Connaissant mon manque chronique de volonté, ça ne me surprend même pas.

Je la trouve assise avec un roman. En me voyant arriver, elle referme son livre et me fait un grand sourire, comme si de rien n'était. Moi, par contre, je n'ai pas l'intention d'oublier aussi facilement son attitude de ce matin. J'attaque d'entrée de jeu :

— La prochaine fois que tu voudras t'inventer des histoires, au moins, ne le fais pas devant madame Rose.

— D'accord.

Elle capitule un peu trop vite, je trouve. C'est suspect.

— D'accord ? C'est tout ce que tu as à dire ?

Elle hausse les épaules.

— Ouais. Je me suis trompée, c'est tout. On n'en fera pas un drame, non ? On peut passer à autre chose ?

Elle me surprend. Elle est plus combative que ça, d'habitude. Mais je n'insiste pas. J'ai trop hâte de lui parler de ma soirée d'hier. Je m'assois près d'elle, enlève mes sandales, savoure la sensation du sable sous mes orteils.

— Il faut que je te dise quelque chose. J'ai parlé à ma mère, hier.

Je lui raconte toute l'histoire. Elle m'écoute sans dire un mot, l'air captivé derrière ses lunettes de soleil. À la fin, elle murmure :

— Wow ! C'est tellement romantique…

— Romantique ? Je trouve ça super triste, moi !

— Oui, mais quand même… Dans le fond, ta mère a laissé partir ton père parce qu'elle l'aimait.

Vu comme ça… N'empêche que moi, je n'ai pas envie d'envisager les choses sous cet angle.

— Elle ne l'a pas « laissé partir », elle l'a carrément jeté dehors ! Et mon père, lui, il ne l'aimait pas assez pour rester quand même…

— Ce n'est pas sûr. Moi, je crois qu'il l'aimait, mais qu'il n'a pas compris ce qu'elle avait vraiment dans la tête.

— Ou dans le cœur. Oui, ça se peut…

Perdues dans nos pensées, nous gardons le silence quelques secondes, puis Olivia reprend :

— Moi aussi, j'ai quelque chose à te raconter. Mon père m'a téléphoné hier soir. Probablement en même temps que tu parlais à ta mère. Toute une coïncidence, hein ?

Son ton léger me paraît un peu forcé. Elle essaie de me faire croire que le sujet ne lui tient pas à cœur, mais c'est raté. Pour ne pas la mettre mal à l'aise, je regarde vers l'horizon en demandant :

— Et ? Qu'est-ce qu'il voulait ?

— Il m'a demandé si je voulais habiter avec lui cette année. Il sait que je ne peux pas endurer le chum de ma mère et sa fille, alors…

— C'est génial, ça ! Tu lui as dit oui ?

— Non. Je n'ai pas encore décidé.

— Pourquoi ? Ça réglerait tes problèmes !

Un long silence. J'ai beau ne pas regarder vers elle, je sens que les yeux d'Olivia se mouillent.

— Parce que… parce que je sais qu'il n'a pas vraiment envie que je dise oui. Il me demandait ça juste pour faire sa job de père, parce qu'il est quelqu'un de responsable, tu comprends ? Mais il ne veut pas me voir chez lui. Je serais de trop, on le sait tous les deux. Il a une nouvelle blonde, il a sa vie à lui, je dérangerais trop de choses dans sa petite routine… Tu comprends, j'ai toujours habité avec ma mère; lui, je le vois aux vacances, à Noël, et quelques fins de semaine par année. Habituellement, ça se passe relativement bien, mais de là à déménager avec lui…

Elle soupire.

— Je me sens de trop chez ma mère, de trop chez mon père. Personne ne veut vraiment de moi.

Pour la première fois, je suis contente d'avoir la mère que j'ai.

Je murmure :

— Pauvre toi… Qu'est-ce que tu vas faire ?

— Je n'en ai aucune idée.

— Tu m'as déjà dit que tu avais un frère… Il habite avec qui, lui ?

— Il a vingt ans, il a son appartement. J'ai tellement hâte de partir pour le cégep et d'avoir le mien, moi aussi !

La solution me paraît si évidente que je n'en reviens pas qu'elle n'y ait pas pensé avant. Je me tourne vers elle, tout excitée.

— Et si tu déménageais avec lui ? Vous vous entendez bien, non ? Tout le monde serait content !

Son visage s'éclaire une seconde, puis elle reprend son air abattu.

— Mes parents ne voudront jamais.

— Pourquoi ? À t'entendre, je crois plutôt que ça les arrangerait !

— Ils tiennent trop à leur image de parents responsables, ils ne me laisseront pas partir en appartement à seize ans…

— Tu devrais essayer. Parles-en à ton frère d'abord, et mettez-vous à deux pour les convaincre.

Je suis sûre que tu pourrais réussir. Tu es plutôt mature pour ton âge et quand on y pense, ce serait juste un an plus tôt que prévu ! De toute façon, tu ne perds rien à leur demander !

L'air de ne pas trop y croire, elle marmonne qu'elle veut bien essayer. Puis elle se lève brusquement en m'annonçant qu'il faut qu'elle parte, que madame Angélique va sûrement se réveiller bientôt.

Je gagerais que la vraie raison, c'est qu'elle a besoin de pleurer un bon coup et ne veut surtout pas le faire devant un public. D'une certaine manière, je suis soulagée de la voir partir : je ne saurais pas quoi faire pour la consoler. D'un autre côté, son attitude me blesse : je croyais que nous étions assez bonnes amies pour tout partager…

Je suis crevée. À part la visite éclair que nous avons rendue à madame Angélique et Olivia, j'ai passé toute la journée à faire des boîtes avec madame Rose pour son déménagement. Elle en a accumulé, des choses ! Il y en a plein, je suis sûre, qu'elle ne se rappelait même pas qu'elle avait ! Pour chaque objet, il faut décider si elle va le garder, le donner, le jeter, le vendre… Elle passe son temps à dire qu'il faudrait qu'elle en conserve moins, parce qu'elle n'aura pas tellement de place au centre d'accueil, et pourtant la pile de boîtes à emporter grossit de jour en jour… Je ne comprends pas pourquoi elle est si pressée de s'en aller. Elle a vécu, quoi, cinquante ans dans cette maison ? Pourquoi, tout à coup, elle décide de tout laisser là et se dépêche de partir ? Qu'est-ce que ça changerait si elle prenait son temps ? Même si madame Angélique part avant, elle peut bien survivre sans sa voisine quelques mois, non ? Ce n'est pas comme si sa précieuse amie changeait de ville !

Mais bon, mon travail à moi, c'est de faire ce qu'elle demande, pas de poser des questions. J'ai donc empaqueté vêtements et bibelots pendant des heures. C'est fou, d'une certaine manière, ça m'encourage de savoir qu'Olivia, dans la maison d'à côté, fait la même chose. Comme si on travaillait ensemble. Ce qui n'empêche pas que ce soir, je suis épuisée… Et pourtant, je ne peux pas dormir.

Le problème, c'est que l'étoile de Benjamin est sur ma table de chevet et que même quand je ne la regarde pas, je ne pense qu'à elle. À elle et à celui qui l'a créée. La colère d'Olivia et le discours de madame Rose me trottent dans la tête sans arrêt. C'est assez pour devenir folle ! Et surtout, assez pour me faire faire de l'insomnie.

Inutile de rester couchée à attendre le sommeil. On sait bien, c'est encore pire quand on est là dans le noir à se dire qu'il faut qu'on s'endorme, ça ne fonctionne jamais…

Je me lève et jette un coup d'œil par la fenêtre. La nuit est belle, calme, le ciel est plein d'étoiles. Parfait. Je sais où trouver Benjamin.

Il est bien là où je le croyais, couché sur la plage au même endroit que la première fois. Et ce soir, il a l'air de trouver ma présence toute naturelle.

— Salut, Alissa.

— Salut, Benjamin. Je voulais te remercier pour ton cadeau.

— Oh, ce n'est rien.

— Non, ce n'est pas rien. Tu as dû en travailler un coup… Elle est super belle, ton étoile.

— Merci. C'était la première fois que je faisais quelque chose comme ça. Reproduire un objet précis, comme une sorte de sculpture… Habituellement, je fabrique plutôt des coffrets ou des cadres, alors j'avoue que je suis assez content de moi.

On dirait que pour lui, c'était un genre d'expérience. Comme s'il avait voulu élargir son champ de travail, comme s'il n'avait pas fait cette étoile que pour moi, mais aussi pour lui. Moi qui avais tellement peur qu'il se fasse des idées, qui commençais à croire que madame Rose avait peut-être raison et que Benjamin « m'aimait beaucoup »... je devrais être soulagée, non ? Alors, pourquoi est-ce que sa réponse me déçoit autant ?

Je m'assois à côté de lui dans le sable.

— Ce n'est pas juste du bon travail. C'est génial. Si tu voulais, je suis sûre que tu pourrais en vendre des tonnes, des étoiles comme celle-là.

— Peut-être, mais ça ne m'intéresse pas. Je veux qu'elle reste unique... comme celle que tu m'as donnée.

Ça, j'avoue que ça me fait plaisir. Très plaisir, même.

Je lève la tête vers le ciel.

— Tu dois être content, il y a plein d'étoiles, ce soir !

— Oui, c'est une nuit parfaite. Il n'y a pas un nuage, pas un souffle de vent, la mer est calme comme un miroir... Je pourrais passer la nuit ici.

— Tu l'as déjà fait ? Je veux dire, dormir ici, sur le sable ?

— Non, pas encore, mais j'ai l'intention d'essayer avant la fin de l'été. Un sac de couchage et le ciel au-dessus de ma tête... J'en rêve.

— Et pourquoi pas ce soir, puisque la nuit est parfaite ?

— Je travaille demain matin.

Je ne savais même pas qu'il avait un emploi d'été. Il n'en a jamais dit le moindre mot pendant nos soirées dans son atelier, alors que je lui ai parlé de madame Rose en long et en large.

— Tu travailles où ?

— À la quincaillerie de mon père.

— Et ? Tu aimes ça ?

Il hausse une épaule.

— Plus ou moins. Mais en échange, il me fournit du bois et des outils. Comme ça, tout le monde est content... surtout moi, je dirais !

Une seconde passe, puis deux, trois... C'est drôle, avec la plupart des gens, je n'aime pas le silence. Mais avec Benjamin, je ne me sens pas obligée de parler, de remplir ce silence. Je suis bien. Ça me repose, d'être avec lui. Comme si je pouvais arrêter de jouer un rôle, d'essayer de plaire à tout le monde, à ma mère, à mes amies, à madame Rose... Avec Benjamin, je peux me taire si j'en ai envie et dire ce qui me passe par la tête le reste du temps. La seule autre personne avec qui je me sens aussi bien sans parler, c'est Olivia. Il y a peut-être un gène qui court dans leur famille...

Au bout d'un certain temps, je demande :

— Ton père, est-ce qu'il s'attend à ce que tu reprennes le magasin plus tard ?

— Non, il sait que je veux devenir ébéniste. C'est sûr qu'il aurait aimé que je travaille avec lui, mais il comprend. Ça fait tellement longtemps que j'en parle... De toute façon, juste à me voir aller, il se rend compte que seul ce métier-là peut me rendre heureux.

Il est clair que Benjamin sait exactement ce qu'il veut faire de sa vie, et comment y parvenir. Je l'envie.

— Tu es chanceux de savoir où tu t'en vas comme ça. Moi, je n'ai aucune idée de ce que je vais devenir.

— Tu as encore du temps pour te décider...

— Pas tant que ça ! Dans un an, ce sera le cégep, il faudrait que je me branche ! Le problème, c'est que ma mère a très peur que je ne finisse pas mon secondaire et tout ce que je veux, c'est me rendre là pour arrêter de l'avoir sur le dos. Comme si le secondaire était le but ultime, tu comprends ? Pourtant, il faut quelque chose, après !

— Et tu n'as vraiment aucune idée de ce qui pourrait t'intéresser ?

— Aucune. Je ne suis pas comme toi, moi, je n'ai pas un talent fou pour quelque chose... Il n'y a rien qui me passionne vraiment...

Je devrais arrêter de parler. Plus j'en dis, plus je sens que je vais finir par avoir une boule dans la gorge et les yeux pleins d'eau. Moi qui trouvais Benjamin parfaitement insignifiant au début de l'été, maintenant j'ai l'impression que c'est moi, l'insignifiante. Je me sens complètement nulle à côté de lui, si solide et si plein d'assurance au sujet de son avenir, si talentueux et passionné, et si calme aussi. Olivia avait raison : il n'est pas insignifiant, Benjamin. Il est reposant, rassurant, il sait écouter… non, il n'est pas insignifiant du tout.

Il éclate de rire.

— Un talent fou, un talent fou, il ne faudrait pas exagérer !

— Tu n'essaieras quand même pas de me faire croire que tu te trouves poche dans les travaux manuels ?

— Bon, d'accord, je ne suis pas poche, mais j'en ai encore beaucoup à apprendre et il y a des milliers de gens meilleurs que moi !

— Il y en a des millions de moins bons, aussi !

— Arrête donc, Alissa. À t'entendre, je suis un génie et tu n'es rien du tout !

Il vient de résumer parfaitement la situation.

— Ça ressemble à ça, oui.

— Voyons ! C'est quoi, cette déprime-là ? Est-ce que c'est vraiment Alissa Martin qui parle ? Parce que, sans vouloir être bête, disons que j'ai toujours eu l'impression que tu te pensais meilleure que tout le monde et que tu avais une vie parfaite !

— Franchement ! Tu penses que tu vas me remonter le moral avec ça ?

— Excuse-moi. Mais toi et ta gang, en général, vous êtes plutôt… plutôt…

Il cherche un mot pas trop blessant, je le sais. Et il n'a pas l'air d'en trouver. Je décide de l'aider un peu.

— Superficielles ? Snobs ? Égoïstes ?

Mal à l'aise, il répond :

— Un peu, oui.

Il est bien comme sa cousine ! Est-ce qu'il sait qu'elle m'a fait à peu près les mêmes reproches ? Est-ce qu'il se doute que ça a failli faire de nous des ennemies pour la vie ? Blessée, je me lève en secouant le sable sur mes jeans. Je ne vais quand même pas rester là à me laisser insulter sans rien dire !

— Je suis peut-être superficielle, snob et égoïste, mais au moins, je ne passe pas ma vie cachée dans un atelier ! Qu'est-ce que ça donne d'avoir du talent si personne ne voit jamais ce qu'on en fait ? Sors un peu, Benjamin ! Peut-être que les gens vont arrêter de te trouver bizarre !

Il se lève aussi et me coupe le chemin.

— Alissa, je suis désolé, je ne voulais pas…

— Arrête ! C'est exactement ce que tu penses !

— C'est ce que je pensais, *avant*. Avant que tu viennes travailler avec moi à l'atelier. Et avant qu'Olivia me parle de toi.

Ma colère baisse d'un cran.

— Olivia t'a parlé de moi ? Qu'est-ce qu'elle a dit ?

— Olivia me parle tout le temps de toi. Alissa par ci, Alissa par là… Au début, elle pensait comme moi, que tu étais la pire des snobs et qu'il n'y avait pas moyen de te parler, mais maintenant, elle dit que tu as changé, que tu t'occupes mieux de ta madame âgée, que tu écoutes plus les autres… bref, que tu es moins snob et beaucoup plus sympathique.

Devant cette avalanche de compliments, je ne sais plus quoi penser… et encore moins quoi dire. Comme Benjamin semble attendre un commentaire, je laisse échapper un « Ah ! » complètement nul. Il sourit.

— Bon, c'est là que tu es supposée dire que toi aussi, tu regrettes tes paroles et que je ne suis pas vraiment bizarre…

J'éclate de rire.

— J'avoue, tu n'es pas si bizarre que ça.

— Ça va, je sais que je ne suis pas le gars le plus populaire du monde, mais ça ne me dérange pas.

Un silence, puis je demande, intriguée :

— Tu trouves vraiment que j'ai changé ?

Son ton redevient sérieux.

— Penses-tu qu'on serait là à se parler tous les deux si tu n'avais pas changé ?

Non. Ça, c'est sûr. Au début de l'été, je ne lui aurais même pas dit bonjour. Il n'attend pas ma réponse et continue :

— Avant, je n'avais pas du tout envie de te connaître. Tandis que là… là, je sens qu'on pourrait être de bons amis. On s'entend plutôt bien, je trouve.

Un autre silence passe, plus court mais qui paraît durer une éternité. Benjamin me regarde dans les yeux en souriant et moi, je ne réussis pas à prononcer le moindre mot. Comme je ne dis rien, il regarde sa montre et annonce :

— Bon, il est tard et j'ai eu une grosse journée à la quincaillerie. Je crois que je vais y aller. Je suis content que tu aimes ton étoile, c'est vraiment gentil d'avoir pris la peine de venir me le dire. À la prochaine !

Et il s'en va, me laissant plantée là dans le sable, un peu sonnée.

Pendant une seconde, j'ai cru qu'il allait m'embrasser. N'importe quel autre gars aurait profité de cette nuit féerique, sur la plage et sous les étoiles, pour franchir la courte distance qui nous séparait et me prendre dans ses bras. N'importe quel autre gars que je connais, en tout cas. Pas lui.

C'est la première fois que je me sens aussi proche d'un garçon et qu'il me tourne le dos comme ça, comme... comme s'il ne se rendait pas compte que je suis une fille. Habituellement, les garçons que je côtoie ont plutôt tendance à me tourner autour et à sauter sur la première occasion pour se rapprocher de moi. Surtout quand on se retrouve à deux dans le noir, au bord de la mer, dans une atmosphère de confidence... Pourtant, Benjamin ne semble pas plus attiré par moi que si j'étais sa sœur.

Je me sens complètement ignorée. C'est nouveau, et c'est très désagréable.

Chapitre 15

Les paroles de Benjamin m'ont tourné dans la tête toute la journée. Est-ce que j'ai vraiment l'air si snob, superficielle et égocentrique ? Et est-ce que j'ai réellement changé tant que ça en seulement quelques semaines ?

Ce soir, pendant que nous traînions à la crémerie comme presque tous les soirs, Joanie m'a lancé :

— Coudonc, Ali, t'es donc ben plate à soir !

C'était sa façon de me faire comprendre qu'elle se faisait du souci pour moi, j'imagine… Toujours aussi délicate et subtile, Joanie. Je ne lui ai pas répondu. Je l'ai seulement regardée avec mon air le plus bête, ce qui a dû me faire paraître encore plus « plate », mais au moins, ça l'a fait taire. Marie-Pier s'est lancée à mon secours en disant qu'elle pourrait être un peu plus compréhensive, que je venais de me faire larguer par mon chum et qu'il fallait me donner le temps de m'en remettre. En effet, Jonathan raconte à qui veut bien l'entendre que c'est lui qui m'a laissée. Sur le coup, j'ai failli répliquer que c'était un mensonge éhonté, que c'était moi qui l'avais plaqué, pas le contraire. Puis j'ai pensé à Marie-Pier. Elle n'aurait peut-être pas aimé m'entendre traiter son frère de menteur devant les autres. De toute façon, qu'est-ce que ça change, qui a laissé qui ? Honnêtement, je m'en contrefous. Et si ça pouvait me donner une excuse pour me taire toute la soirée et avoir l'air bête, tant mieux.

Ça a quand même ses bons côtés de travailler. J'ai pu m'esquiver assez tôt en prétextant que je devais me lever de bonne heure demain matin et personne n'a trouvé à y redire. Personne n'a soupçonné que je m'en allais parce que j'en avais assez d'être là.

En passant devant chez Benjamin, j'ai aperçu de la lumière dans son atelier. J'ai failli arrêter, mais finalement j'ai passé mon chemin. Je n'ai pas besoin qu'il me mette encore plus de questions dans la tête.

Chez moi, comme tous les soirs, la seule lumière allumée est celle de la chambre de ma mère. Elle se couche toujours tôt, ma mère. Je crois que son travail l'épuise. Son travail, et sa fille... Quoique depuis notre grande conversation, il y a deux jours, ça va beaucoup mieux entre nous. Je ne dis pas qu'elle ne me tombera plus jamais sur les nerfs et que je ne bouderai plus, mais on réussit à se parler sans avoir envie de s'entretuer. C'est déjà ça.

— Je suis rentrée, maman !

— D'accord ! Bonne nuit !

Cinq minutes plus tard, elle éteint sa lumière. Elle dormira probablement dans trois secondes alors que moi, je tournerai dans mon lit toute la nuit, à penser à ce que m'a dit Benjamin.

J'ai envie de parler à quelqu'un. Envie de savoir ce que les autres pensent de moi. Est-ce que tout le monde s'imagine que je suis snob et superficielle, ou est-ce juste l'opinion de Benjamin et Olivia ? Est-ce qu'on peut vraiment changer autant en quelques semaines ? Passer de snob et superficielle à... à quoi, au juste ? Benjamin ne m'a pas dit exactement de quelle façon j'ai changé. Il a seulement insinué que je m'étais améliorée. Comment ?

Si je demandais à ma mère ce qu'elle en pense, elle ? Elle vit avec moi depuis seize ans, elle doit bien l'avoir remarqué, si j'ai changé, et comment !

Il y a autre chose, aussi. Quelque chose qui me trotte dans la tête et dans le cœur depuis deux jours... depuis que ma mère m'a confié qu'elle n'avait jamais regretté de m'avoir, depuis que j'ai senti à quel point elle m'aimait... malgré tout. Malgré moi, presque.

Hier, j'ai dessiné un gros cœur sur le dessus du coffret à bijoux que j'ai fait dans l'atelier de Benjamin, puis j'ai peint le tour de toutes sortes de couleurs. Je trouve le résultat très joli, très vivant. Et à l'intérieur du couvercle, j'ai écrit en bleu : « Je t'aime maman ».

C'est peut-être quétaine, ça ressemble peut-être plus au genre de babiole qu'on fabrique pour la fête des Mères quand on est à la maternelle, mais tant pis. Comme on dit toujours, c'est l'intention qui compte. Et puis, d'après ce que j'ai pu comprendre, les mères ne sont pas difficiles, en général, quand leurs enfants leur offrent des cadeaux faits main...

J'ai vraiment hâte de donner le coffret à ma mère, mais en même temps, je ne sais pas trop comment le lui présenter. Je me vois mal arriver et dire : « Tiens, maman, un cadeau pour toi ! » J'ai bien pensé le laisser un matin sur la table de la cuisine, pour qu'elle le trouve en revenant du travail, mais j'aimerais beaucoup être là quand elle le verra. J'aimerais voir sa réaction. Et puis, j'imagine que pour elle, ce serait important que je le lui remette en personne.

Donc, allons-y.

Je prends une grande inspiration et cogne à sa porte.

— Entre, Alissa !

Bon, je ne peux plus reculer, maintenant.

Elle a rallumé sa lumière et s'est assise dans son lit. Elle a l'air toute jeune, ma mère, avec son pyjama rose. C'est vrai qu'elle m'a eue à dix-sept ans... Peut-être qu'elle se souvient encore un peu de cette époque ? Peut-être qu'elle aussi, elle a beaucoup changé, quand elle avait mon âge ? Peut-être que c'est un passage obligé pour tous les adolescents du monde ? Peut-être qu'elle me comprendra ?

Peut-être qu'un jour les poules auront des dents ?

Je m'assois à côté d'elle et pose le coffret à bijoux sur ses genoux.

— Qu'est-ce que c'est ?

— Un cadeau.

— Un cadeau ? Pourquoi ?

— Pour rien. Parce que... parce que.

Le geste qu'elle a pour passer la main sur le dessus du coffret me rappelle la façon dont j'ai caressé l'étoile de bois de Benjamin, le jour où Olivia me l'a apportée. Du coup, je sais qu'elle est contente.

— Oh, Alissa, merci !

— Il y a quelque chose d'écrit à l'intérieur...

Elle soulève le couvercle, ouvre la bouche, mais pas un son ne sort pendant plusieurs secondes. Puis elle se tourne vers moi, les yeux pleins d'eau, et me serre fort contre elle.

— Alissa, ma chérie ! C'est magnifique ! Merci !

— Ça me fait plaisir, maman.

Je lui laisse quelques secondes pour se remettre de ses émotions (et me débarrasser de la boule que j'ai dans la gorge en même temps), puis je demande de but en blanc :

— Maman... est-ce que tu trouves que j'ai changé ?

— Changé ? Dans quel sens ?

— Depuis le début de l'été, est-ce que tu trouves que je suis différente ?

Elle me regarde en fronçant les sourcils.

— C'est drôle que tu me poses la question, parce que je me disais justement aujourd'hui que tu t'es beaucoup améliorée. Et pas seulement depuis que je t'ai parlé de ton père, non... ça avait commencé avant.

— Tu te disais ça à toi-même ou tu le disais à quelqu'un d'autre ?

Est-ce que c'est mon imagination ou elle a vraiment rougi ?

— J'en parlais à quelqu'un.

— À qui ?

— Oh, quelqu'un qui travaille avec moi au centre d'accueil.

Elle n'a pas vraiment répondu. Quelque chose me dit qu'il y a anguille sous roche. Ma mère aurait peut-être certaines confidences à me faire, elle aussi… Je suis sûrement la pire des égoïstes, mais franchement, pour ce soir, ça ne me tente pas vraiment de les entendre, ces confidences. C'est de moi que j'ai envie de parler. Plus tard, peut-être…

— Madame Rose m'a dit que tu parlais souvent de moi à ton travail.

— Qu'est-ce que tu veux, je n'ai pas d'autre enfant, pas de chum, pas de frère ni de sœur…

— Pas de vie, finalement !

Un peu raide comme remarque, mais c'est sorti tout seul. J'ai peut-être changé depuis le début de l'été, mais pour ce qui est de réfléchir avant de parler, je crois que je suis irrécupérable.

Ma mère se met à rire, mais elle rit jaune, on dirait.

— Bon, on ne parlait pas de moi, il me semble ! Oui, tu as changé, ma chérie. Tu es plus mature.

Tu te fâches moins pour des niaiseries, tu es plus responsable, plus souvent de bonne humeur… presque tout le temps de bonne humeur, même.

Je ne suis pas certaine d'aimer ce qu'elle dit. Plus mature, plus responsable… Je n'ai pas envie de donner l'image d'une femme de quarante ans, moi ! Je n'ai pas envie de vieillir avant le temps ! Tout à coup, je me sens très éloignée de Marie-Pier, Joanie et Kim. Sans se rendre compte de mon malaise, ma mère poursuit :

— Ça te fait du bien de travailler chez madame Rose.

J'hésite… à peine quelques secondes.

— Ce n'est pas juste madame Rose, maman. Il y a quelqu'un d'autre aussi.

— Jonathan ?

Je grimace.

— Oh, lui ! Jamais de la vie ! Non, c'est Benjamin. Benjamin Côté.

Elle le connaît, évidemment. Depuis que je suis entrée à l'école, ma mère poule se fait un point d'honneur de connaître le nom, le visage et les parents de tous ceux que je côtoie de près ou de loin. Tout un contrat, mais elle s'en tire à merveille.

— Je ne savais pas que c'était un de tes amis.

— Ça ne l'était pas, non plus. Mais c'est le cousin d'Olivia, qui travaille chez madame Angélique, et c'est lui qui m'a aidée à faire le coffret à bijoux. Il a un atelier et il passe presque toutes ses soirées là. Le reste du temps, il regarde les étoiles sur la plage…

— Il fait quoi ?

— Je sais, ça a l'air bizarre, mais ça ne l'est pas. Il est très correct, Benjamin. Tu l'aimerais, je pense.

Elle sourit.

— Et toi, tu l'aimes ?

J'ouvre de grands yeux.

— Moi ? Non, c'est juste un ami ! Ça n'a rien à voir….

— Ah bon. C'est drôle, parce que c'est la première fois que tu me parles autant d'un ami, et avec autant d'enthousiasme…

À mon tour de rougir, et je me déteste pour ça.

— Maman… c'est la première fois que je te parle autant tout court. Alors, ne va pas t'imaginer des histoires, d'accord ?

Elle me caresse les cheveux.

— D'accord, je te crois, ma chérie. Mais j'espère que le jour où tu vas avoir un nouveau chum, tu n'attendras pas que je l'apprenne par quelqu'un d'autre, cette fois.

C'est drôle comment une conversation peut dévier. J'étais juste venue lui demander si elle trouvait que j'ai changé, et voilà qu'elle me parle de ma vie amoureuse… D'accord, je me sens plus proche de ma mère depuis quelques jours, mais pas assez pour m'embarquer dans ce genre de discussion. Je me lève, lui plante un baiser sur la joue.

— Promis. Bonne nuit, maman.

— Bonne nuit. Merci encore pour ton cadeau.

Quand je sors de la chambre, elle a toujours son coffret dans les mains et regarde l'inscription à l'intérieur d'un air songeur. J'ai le cœur un peu serré en pensant à toutes ces années où je lui en ai fait baver. Je ne peux pas promettre que je serai irréprochable à partir de maintenant, mais j'ai la ferme intention de lui rendre la vie plus facile.

Chapitre 16

Aujourd'hui, je déteste ma vie. Je voudrais être n'importe où à part ici, et n'importe qui à part moi.

Il me semble que tout est allé de travers. Pourtant, la journée avait bien commencé : soleil radieux, crêpes au sirop d'érable pour déjeuner, conversation animée avec Olivia en route vers notre travail... Ses parents ont fini par accepter qu'elle déménage avec son frère. Elle flotte sur un nuage. Moi, j'étais toute contente de savoir que j'y étais pour quelque chose. Je me sentais utile, intelligente, et à entendre Olivia, j'avais gagné sa reconnaissance éternelle. Tout s'annonçait bien. Et tout a basculé à cause d'une robe de mariée.

Soleil ou pluie, depuis presque deux semaines, je fais des boîtes chez madame Rose. Je ne croyais pas que c'était si compliqué, un déménagement.

C'est vrai que ce n'est pas un déménagement ordinaire. C'est un déménagement de fin de vie, sûrement son dernier… Ouf ! ce n'est pas très joyeux, tout ça, quand on y pense.

Aujourd'hui, donc, madame Rose a décidé qu'il était temps de s'attaquer à la chambre de Marguerite. Peut-être qu'elle en était simplement rendue là dans ses plans ou qu'elle se sentait particulièrement forte en se réveillant ce matin, je ne sais pas… Toujours est-il qu'elle s'est vite rendu compte que ce n'était pas une bonne idée. Je me demande même si elle sera prête, un jour, à défaire les boîtes que j'ai finalement empaquetées toute seule.

Il faut dire qu'elle ne s'est pas facilité la tâche. Au lieu de commencer par enlever les cadres sur les murs ou les rideaux, ou n'importe quoi de plus neutre, elle s'est attaquée directement à la commode. En ouvrant le tiroir du haut, elle est tombée sur un pyjama de bébé. En la voyant déplier le petit vêtement, j'ai eu l'impression que mon cœur allait exploser.

— Mon Dieu… ça faisait des années que je ne l'avais pas vu, ce pyjama.

Elle parlait presque tout bas, plus pour elle-même que pour moi. J'ai pensé à mes amis, à ce que racontent les gens dans le village. Ceux qui disent qu'elle se parle toute seule, qu'elle n'a pas toute sa tête. Ce matin, c'est vrai que l'éclat dans ses yeux aurait pu passer pour de la folie. Moi, je savais que madame Rose n'était pas folle. Elle était seulement triste. Infiniment triste.

— Il faut que je te raconte… C'est Georges qui l'a acheté, ce pyjama. La veille de sa mort, tu te rends compte ? Il est arrivé de son travail avec une demi-heure de retard. Je me demandais où il était passé, lui qui se pointait toujours exactement à quatre heures et demie… Il était presque cinq heures quand il est rentré avec un grand sourire. Il a sorti le pyjama du sac. Tu ne peux pas savoir ce que ça m'a fait de voir cette petite chose toute douce dans ses grandes mains… Si je ne l'avais pas déjà tellement aimé, je crois que je serais tombée amoureuse à ce moment-là.

Elle a replié le vêtement, l'a remis à sa place et a refermé le tiroir. Elle semblait fatiguée, tout à coup. Pour la première fois depuis que je l'ai rencontrée, j'ai trouvé qu'elle faisait son âge.

— Je crois que je vais attendre un peu avant de faire la commode, finalement. On va essayer autre chose, si ça ne te dérange pas.

Je n'ai pas prononcé un mot. Même si j'avais su quoi dire, j'en aurais été incapable.

Madame Rose a ouvert le garde-robe, plein à craquer de vêtements et de petites boîtes. Des souvenirs de jeunesse, apparemment. Entre autres, j'ai eu le temps d'apercevoir une veste militaire et un habit de soirée pour homme. Puis elle a sorti le premier vêtement qui lui est tombé sous la main et a prononcé une seule phrase. Même pas une vraie phrase. Juste quatre mots : « Ma robe de mariée. » Et le temps s'est suspendu.

Cette robe n'avait vraiment rien d'extraordinaire. Pourtant, il fallait voir madame Rose la sortir, comme si elle avait peur qu'elle se casse. Elle n'est même pas super belle, sa robe. Dans son temps, les mariées ne s'habillaient pas comme aujourd'hui, avec la crinoline et la traîne interminable. La sienne est une robe droite bien simple, du genre qu'on porterait tous les jours maintenant. Et depuis le temps qu'elle traîne parmi les vieux souvenirs de sa propriétaire, elle n'est même plus blanche.

Je ne sais pas si je me marierai un jour. Si oui, j'aurai sûrement une plus belle robe que celle-là. Mais je me demande si je l'aimerai autant.

Les gestes qu'avaient madame Rose pour sortir sa robe, la dégager de son cintre, la plier… On aurait dit qu'elle berçait un bébé. Il y avait une sorte d'adoration dans ses gestes. Un certain renoncement aussi, je dirais. Ça doit être triste d'arriver comme ça à la fin de sa vie, de savoir qu'on ne pourra plus jamais avoir ce qu'on a déjà eu, qu'on n'aura plus de deuxième chance… Je ne la trouvais pas belle, sa robe, mais en voyant madame Rose la déposer soigneusement dans une boîte à garder, sans hésitation, j'ai senti mon cœur se serrer.

— Ça va, madame Rose ?

Elle a hoché la tête sans dire un mot et a continué de sortir les autres vêtements. Je ne respirais plus, comme si j'attendais que l'orage éclate. Et il a éclaté. Madame Rose me tournait le dos, je voyais ses épaules trembler, je la voyais essuyer ses larmes et je ne savais pas quoi dire ni quoi faire. Au bout d'une éternité, sans se tourner vers moi, elle est sortie de la chambre en disant :

— Mets tout le reste dans les boîtes à donner, Alissa. Je vais aller faire ma sieste tout de suite.

— Mais vous n'avez pas dîné…

— Merci, je n'ai pas faim.

Elle est partie. Je suis restée toute seule dans la chambre de Marguerite, à côté de la robe de mariée, au milieu de tous les souvenirs de madame Rose.

Quand je pense que certains racontent qu'elle se promène toute seule dans sa maison avec cette robe sur le dos… Les gens parlent souvent sans savoir. Avant de répandre n'importe quoi sur son compte, ils devraient essayer de la connaître, non ?

De la comprendre ! Pourquoi tant de méchanceté alors que la seule faute de madame Rose, c'est d'avoir eu trop de malchance ? Trop de chagrin ? Peut-être que les gens ont peur de ceux qui ont vécu de grands malheurs, peut-être croient-ils que ça peut être contagieux…

Faire les boîtes toute seule n'a pas été long. Les objets ne me disaient rien du tout, à moi, alors je ne m'attardais pas sur chacun comme l'aurait fait madame Rose. J'ai plié et emballé tout ce qu'il y avait en une heure à peine. Malgré les instructions de madame Rose, j'ai mis de côté la veste militaire et l'habit de soirée. Je ne suis pas certaine qu'elle aura la force de les regarder, eux non plus, mais au moins ils seront dans les boîtes, pas dans une poubelle sur le bord du chemin ou dans le garde-robe d'un inconnu. Ensuite, je me suis assise dans la chaise berçante et j'y ai passé l'après-midi. Moi non plus, je n'avais pas faim.

Je pensais à madame Rose, évidemment… et à ma mère. Deux histoires si différentes et, en même temps, tellement tristes toutes les deux…

Depuis que ma mère m'a tout raconté, je ne crois plus qu'elle s'est fait avoir. Elle a fait un mauvais choix, c'est différent. Je comprends pourquoi elle a laissé mon père, mais je suis sûre qu'elle aurait été plus heureuse si elle l'avait gardé. C'est vrai qu'elle aurait peut-être passé le reste de sa vie à se demander s'il était resté à cause d'elle ou à cause de moi, mais au moins, elle n'aurait pas été toute seule. Et moi, j'aurais eu un père.

Je ne lui en veux pas, non… ou peut-être que oui, un peu. De toute façon, ce qui est fait est fait. Et je suis certaine que c'est elle qui a le plus souffert dans cette histoire, pas moi. Mon père, je ne l'ai jamais connu. On ne peut pas s'ennuyer de quelqu'un qu'on ne connaît pas, non ?

Qu'est-ce qui m'attend, moi ? Est-ce que je serai plus heureuse que ma mère en amour ? Je n'ai pas envie de me retrouver toute seule. En même temps, je ne veux pas m'accrocher à n'importe qui. Je pourrais tomber sur quelqu'un qui me promettra le monde, un gars qui me semblera l'homme idéal et qui, finalement, sera le pire des salauds… Ça arrive tous les jours, des histoires d'horreur comme celle-là !

Ou bien, il pourrait m'arriver la même chose qu'à madame Rose. Je pourrais être parfaitement heureuse avec un homme extraordinaire, puis me réveiller seule un matin. Il ne serait plus là. Plus jamais. Sans aucun espoir de retour. Et mon cœur serait amputé à jamais.

Comment elle a fait, madame Rose, pour survivre à son destin ? Pour recommencer à sourire après avoir eu le cœur brisé, et deux fois en plus ? Moi, je ne sais pas si je réussirais. Ça me fait peur.

Des gens meurent tout le temps, d'une maladie, d'un accident, et ces gens-là ont des enfants, des conjoints, des parents, des amis... Qu'est-ce qui me dit que ce n'est pas ce qui m'attend, moi aussi ? Que je ne vais pas me retrouver le cœur en morceaux, un de ces jours ?

Mais si, au contraire, je m'enfermais dans une bulle, si j'érigeais une carapace autour de moi, que je ne laissais personne m'atteindre, que je refusais de tomber amoureuse, est-ce que ce serait vraiment mieux ? Quand on a de la peine, on sent quelque chose, au moins. On est vivant, même si ça fait mal.

J'ai passé l'après-midi à me bercer en pensant à tout ça. C'était assez pour me sentir déprimée.

Comme si ça ne suffisait pas, il a fallu que je m'enfonce encore plus ce soir.

Je marchais avec Marie-Pier, Joanie et Kim dans la rue du bord de la mer. Ça aurait pu être un bon remède à ma déprime, cette promenade entre filles. Même que c'était bien parti. Kim nous racontait sa journée avec les enfants qu'elle garde pour l'été et avait réussi à me faire rire une ou deux fois quand nous avons croisé trois gars : Sylvain, Mathieu et... Benjamin.

Ça m'a fait un choc de le voir là, sur le trottoir, ailleurs que dans son atelier ou sur la plage. C'était vraiment bizarre. Comme si jusque-là, il n'avait été qu'un rêve, une sorte de fantôme, et que tout à coup, bang ! il entrait pour de bon dans ma réalité. Un choc, vraiment !

J'ai ignoré cette réalité. Je l'ai ignoré, lui. J'ai fait comme si je ne l'avais pas vu. Comme mes amies, qui n'ont pas salué les gars et ne les ont même pas regardés. Moi aussi, j'ai détourné la tête. Je me suis mise à dévisager Kim comme si ce qu'elle disait était soudain de la plus haute importance. Comme s'il n'y avait personne d'autre sur ce trottoir. D'ailleurs, à nous quatre, on prenait tellement de place que les gars ont dû descendre sur la chaussée pour nous dépasser.

On marchait vite, mais j'ai quand même eu le temps de sentir le regard de Benjamin me transpercer comme une flèche. Et aussitôt, je me suis sentie... minuscule. Méprisable. Comme si, en traitant Benjamin comme s'il n'était rien du tout, c'est moi qui valais moins que rien.

Je n'ai pas voulu que mes amies me voient sourire à Benjamin parce que j'ai eu peur de leur réaction. Parce que, si elles ont le moindre doute, elles vont me questionner sans fin à son propos. Elles vont se demander ce que je fais avec un... nul comme lui. Elles risquent de me traiter moi-même comme un rejet. Et moi, après tout ce qu'il m'a apporté, je n'ai pas eu le courage de me tenir debout face à elles et de leur dire qu'elles se trompent sur toute la ligne, que Benjamin n'a rien d'un nul, que c'est quelqu'un de génial, au contraire. Et qu'elles auraient tout intérêt à le connaître mieux, elles aussi.

Je suis la pire des lâches.

Mes amies n'ont rien senti, évidemment. Elles ne se sont probablement même pas aperçues que je n'ai plus dit un seul mot de la soirée.

Je viens d'arriver chez moi. Il est presque minuit et je travaille demain. Je devrais me coucher, mais j'ai juste envie de pleurer.

Le téléphone sonne, me faisant sursauter. Je me dépêche de répondre avant ma mère.

— Allô !

— Alissa ?

— Marie-Pier ! Tu es folle ! Si tu as réveillé ma mère, elle va me tuer !

— Franchement, tu y vas un peu fort ! Bon, je sais qu'il est tard, mais il fallait que je te parle.

« Il fallait » qu'elle me parle ! Qu'est-ce qu'elle a de si important à me raconter ? Une histoire à propos de son Lucas chéri ? Son prochain projet de magasinage ?

— Ali… est-ce que ça va ?

La question me prend tellement par surprise que je réponds sans réfléchir.

— Oui, ça va, pourquoi ?

— Tu n'étais pas dans ton assiette, ce soir. Tu avais l'air triste, je trouve.

Elle a remarqué… et elle prend la peine de téléphoner pour s'assurer que je vais bien ! Ça y est, je pleure.

— Ali, qu'est-ce qu'il y a ? Tu veux que je vienne ?

Je pleure tellement que je ne peux pas répondre.

— Ne bouge pas, j'arrive !

Dix minutes plus tard, Marie-Pier est assise à côté de moi sur mon lit et me serre dans ses bras.

— Voyons, Ali… Raconte-moi ce qu'il y a ! Pourquoi tu pleures comme ça ?

Je réussis à me calmer un peu, assez pour bredouiller quelques mots au sujet de la robe de mariée de madame Rose, de la mort de son mari et de son bébé, et de ma crainte de vivre un jour le même drame ou de finir toute seule, comme ma mère. Ma peur de ne jamais être vraiment heureuse, finalement. Mon amie me regarde d'un air bizarre.

— Alissa… Tu t'en fais pour rien, voyons ! Personne ne connaît l'avenir ! Et il n'y a pas de raison pour que tu ne sois pas heureuse dans la vie !

— Je sais…

— C'est trop déprimant, ton travail. Passer toutes ses journées avec une vieille, ça finit par rentrer dans le corps…

— Ne l'appelle pas comme ça.

— Comme quoi ?

— « Une vieille ». Elle a un nom !

— Mais c'est ce que tu dis, toi aussi !

Elle a un peu raison. Au début de l'été, je disais « la vieille », mais plus maintenant.

— Je préfère qu'on l'appelle madame Rose. « La vieille », c'est insultant, je trouve.

Elle me fixe un long moment, l'air de se demander si je ne suis pas tombée sur la tête. Puis elle hausse les épaules.

— Bon, d'accord, madame Rose alors.

— Les gens se trompent. Elle n'est pas folle, tu sais. Et elle n'est pas déprimante. Elle est très intéressante. Elle me raconte plein d'histoires de sa jeunesse… Je l'aime beaucoup, si tu veux savoir. Elle est un peu comme la grand-mère que je n'ai jamais eue.

Marie-Pier a ses quatre grands-parents au village, elle. Elle réfléchit en silence puis dit :

— Je comprends.

Deux petits mots tout simples, mais qui me font tellement de bien… Deux mots que je ne m'attendais pas à entendre dans la bouche de ma meilleure amie.

Du coup, je me sens moins seule et moins déprimée. Je n'ai même plus envie de pleurer. Le « Je comprends » de Marie-Pier fait des miracles. Je me demande si elle « comprendrait » aussi comment je me sens par rapport à Benjamin ?

Si elle se moque de moi, je vais me sentir encore plus mal qu'avant. Tant pis. Au point où j'en suis, je cours le risque.

— Il y a autre chose, aussi. Quelqu'un d'autre, je devrais dire.

— Ohhhh… un gars ?

Marie-Pier s'excite déjà. Elle aime tellement se mêler des histoires d'amour de tout le monde…

— Oui, c'est un gars, mais ce n'est pas du tout ce que tu penses. Et surtout pas le genre de gars auquel tu penses.

— Je ne pensais à personne en particulier… Alors, c'est qui ?

— Benjamin Côté.

Son enthousiasme s'envole aussitôt. Je vais me rappeler son expression toute ma vie, c'est sûr. Un mélange d'incrédulité, de désespoir et de… oui, de mépris, je dirais. Une vraie claque en pleine face.

— Benjamin Côté ? T'es pas folle ?

Fini, le sentiment de ne plus être toute seule. Je me sens tomber au fond d'un précipice, sans para[illegible]

Non, je ne suis pas folle. C'est avant que j'étais folle. Quand je croyais que les gens qui ne faisaient pas partie de notre gang ne valaient pas la peine qu'on s'intéresse à eux. Quand je nous croyais tellement supérieures à tout le monde. Quand je ne prenais pas la peine de regarder en dehors de mon petit univers parce que je croyais que tout ce qu'il y avait à l'extérieur était moins bon, moins intéressant, moins brillant…

Quand j'étais comme Marie-Pier.

Je ne lui dis pas tout ça, bien sûr. Si elle a compris mon histoire de grand-mère, je doute qu'elle puisse comprendre un jour mon amitié pour Benjamin. Quoique le mot amitié soit peut-être un peu fort : une vraie amie ne l'aurait pas ignoré comme je l'ai fait ce soir.

— Je ne suis pas folle. J'ai changé, c'est tout.

— Oui, je l'avais remarqué. On l'a tous remarqué. Tu n'es plus la même depuis le début de l'été. Alors, c'est à cause de lui ? De Benjamin ?

— Pas juste lui, c'est un mélange de madame Rose et de lui… Un peu d'Olivia, aussi.

Moi qui m'étais promis de garder ces moments secrets, je me surprends à lui raconter mes soirées à l'atelier et nos rencontres sur la plage. Il faut que je la convainque, que j'efface cette expression de dégoût qu'elle a sur le visage. Je ne veux pas qu'elle se moque de moi, qu'elle s'imagine que je traîne avec un gars insignifiant ; je ne veux pas qu'elle aille raconter au reste de la gang qu'il faut m'éviter à tout prix… Je ne supporterais pas de devenir une indésirable.

J'ai l'impression d'être maintenant au fond de mon précipice, à regarder en haut en attendant que quelqu'un m'envoie une corde pour remonter. Elle se fait attendre, la corde.

Marie-Pier m'écoute avec des yeux ronds, l'air un peu perdu. Elle doit se demander si je plaisante. Peut-être qu'elle croit que j'invente à mesure. Elle s'attend probablement à ce que je finisse mon récit avec un « Ben non, j'te niaise ! C'est pas vrai ! » Le pire, c'est que je passe à un cheveu de le dire. J'aurais envie d'effacer les dernières minutes, les dernières phrases. Envie que tout redevienne comme avant et que Marie-Pier s'imagine que j'ai passé ces soirées-là avec Jonathan ou devant l'ordi, pas avec un gars qui n'a rien à voir avec notre gang et que tout le monde a toujours trouvé insignifiant.

J'ai à peine le temps de m'en rendre compte que déjà, je regrette d'avoir eu cette pensée. Je l'ai ignoré une fois aujourd'hui, je ne le renierai pas en plus.

— C'est vrai, Marie-Pier. Tu ne le connais pas.

Marie-Pier hausse les épaules.

— C'est ta vie, Alissa. Tu en feras bien ce que tu voudras.

— Je ne te demande pas de me comprendre, seulement de ne pas juger.

— Tant mieux, parce que franchement, non, je ne te comprends pas. Mais comme je disais, tu fais ce que tu veux, ça ne me regarde pas.

Elle s'en va sans se retourner, comme si je ne méritais même plus un regard.

La nuit va être longue, toute seule au fond de mon précipice.

Chapitre 17

La nuit a été longue, en effet. Et le réveil, difficile. Je suis contente de travailler aujourd'hui plutôt que de rester à la maison à ruminer mes idées noires.

Je ne vois pas Olivia dans la rue. Tant mieux. Je ne serais pas capable de la regarder en face après la façon dont j'ai traité Benjamin hier.

Madame Rose n'est pas dans la cuisine. C'est bizarre. Depuis ma première journée de travail, c'est toujours là qu'elle m'attend.

— Madame Rose ?

Silence. Un silence inhabituel, qui a quelque chose d'un peu effrayant.

Je remarque d'autres détails insolites : une tasse à moitié vide sur la table, une assiette et un verre sales à côté de l'évier, le sac de pain ouvert sur le comptoir... Le linge à vaisselle placé de travers sur le porte-serviette... Le chandail de laine de madame Rose qui traîne sur le dossier d'une chaise... Rien de bien extraordinaire pour quiconque ne connaît pas l'habitante des lieux, mais pour moi, qui viens cinq jours par semaine depuis presque deux mois, c'est inquiétant. Madame Rose se fait un point d'honneur de garder sa maison impeccable et toutes ces petites choses qui ne sont pas à leur place, ça me met très mal à l'aise.

— Madame Rose ?

Toujours rien.

J'avance prudemment jusqu'au salon, où je la découvre enfin, couchée sur le divan. Je pousse un énorme soupir. Du coup, je me rends compte que j'avais arrêté de respirer.

— Ouf ! Madame Rose, vous m'avez fait peur !

Mon soulagement s'envole en fumée quand je me rends compte qu'elle ne répond pas. Elle ne bouge pas. Elle garde les yeux fermés. Je crois qu'elle aussi, elle a cessé de respirer...

Je me précipite vers elle et la secoue brusquement.

— Madame Rose ! Madame Rose !

Elle ouvre des yeux affolés.

— Quoi ? Qu'est-ce qu'il y a ?

Merci mon Dieu, elle dormait ! Elle dormait ! Elle n'est pas morte !

— Oh, madame Rose ! J'ai eu tellement peur ! Je pensais… Je pensais…

Je ne vais quand même pas dire que je la croyais morte, elle va rire de moi toute la journée, et peut-être jusqu'à la fin de l'été.

Elle devine quand même et elle ne se moque pas.

— Ne t'inquiète pas, ma belle, je n'ai pas l'intention de mourir tout de suite. Mais je ne me sens pas tellement bien, aujourd'hui.

— Qu'est-ce que vous avez ? Voulez-vous qu'on aille à l'hôpital ?

— Non, non, c'est dans la tête que ça ne va pas… Ou plutôt, dans le cœur… Tu sais, toutes ces boîtes à faire, tous ces souvenirs à remuer, ça me fait quelque chose…

— On peut prendre une pause, aujourd'hui. Vous devriez vous reposer un peu. Vous avez encore le temps. Il vous reste presque un mois avant de déménager ! Et il fait beau, on pourrait aller dehors, pour faire changement ! Si vous voulez, on peut même dîner sur la galerie, ce serait bien ! Et on inviterait madame Angélique !

Je suis tellement soulagée de la voir indemne que je serais prête à lui promettre n'importe quoi. Elle sourit.

— Tu es un amour, Alissa. Oui, ce serait une bonne idée de dîner dehors. Et je crois que tu as raison, j'ai besoin de me reposer.

— Restez là, je vais ranger ce qui traîne dans la cuisine et faire la vaisselle.

Après l'avoir bien installée dans son fauteuil avec sa couverture de laine (oui, en plein été, mais les personnes âgées sont comme ça), je me réfugie dans la cuisine. J'ai les mains qui tremblent et les jambes faibles. Je m'écrase sur la première chaise venue, le temps de reprendre mes esprits avant de commencer mon travail.

Je n'ai jamais vu ça, moi, un mort. À la télé, oui, mais jamais de près, jamais dans la vraie vie. Trouver madame Rose comme ça, couchée sur son divan, les yeux fermés et complètement immobile, ça m'a donné tout un coup. On a beau savoir que les gens ne sont pas immortels, savoir qu'à quatre-vingts ans passés, le temps est compté, on n'en est pas vraiment conscient. Pour la première fois, je vois madame Rose comme elle est : forte, oui, parce qu'elle a réussi à passer à travers toutes les épreuves de sa vie, mais fragile aussi. Plus que je le croyais, plus qu'elle le croit aussi, je pense. Pour la première fois, je comprends que sa décision de déménager au centre d'accueil était probablement la bonne. Elle sera en sécurité, là-bas, plus qu'ici, toute seule dans sa grande maison. Parce qu'une fois l'été fini, je ne serai plus là…

Je n'aurais jamais cru dire ça un jour, mais madame Rose et sa maison grise vont me manquer.

Mes compétences culinaires étant ce qu'elles sont, nous nous contentons de sandwiches au jambon pour dîner. Personne ne s'en plaint. Madame Angélique et Olivia se sont jointes à nous. Olivia ne m'a fait aucune remarque au sujet de Benjamin. Évidemment, il ne lui a pas parlé de mon attitude d'hier. Si quelqu'un me traitait comme une moins que rien, je n'irais pas non plus le crier sur tous les toits.

Madame Rose et madame Angélique sirotent leur thé. Par une pareille chaleur, je me demande comment elles font. Moi, je savoure un carré de sucre à la crème en regardant la mer. Je pense à Benjamin. Je pense souvent à lui, ces temps-ci, un peu trop pour ma paix d'esprit.

— Ça va me manquer, tout ça.

Je me tourne vers madame Rose, un peu alarmée par son ton mélancolique.

— Qu'est-ce qui va vous manquer ?

— La mer. La plage. Tout cet espace, tout ce ciel… Là-bas, je vais juste avoir ma chambre, ce ne sera pas pareil…

— Le centre d'accueil est au bord de la mer, non ? Et il y a une véranda, il me semble ?

— Oui, mais plus personne ne s'en sert. Elle est trop vieille, c'est dangereux, et elle n'est plus tellement belle non plus.

— Vous ne passerez pas tout votre temps à l'intérieur, quand même ?

Madame Rose ne répond pas. Elle a le regard perdu vers l'horizon.

— Je ne m'étais jamais rendu compte à quel point ma vie est liée à la mer. Mon père était pêcheur, mon mari avait une vraie passion pour son bateau et j'ai tellement marché sur cette plage… en attendant Georges quand il était à la guerre, puis avec lui quand il est revenu… Quand nous nous sommes mariés, je cherchais des étoiles filantes en souhaitant avoir un bébé très vite… Quitter ma maison, c'est déjà difficile, mais quitter la mer en plus…

Elle ne termine pas sa phrase. Spontanément, je m'empare de sa main et la serre dans les miennes. Olivia fait la même chose de l'autre côté de la chaise et madame Angélique lui sourit :

— Tu ne seras pas toute seule, Rose. On aura des chambres voisines, tu te rappelles ?

— Oui. Heureusement !

— Je sais que ce ne sera pas pareil, mais on se verra tout le temps, on fera des activités et des sorties ensemble…

Madame Rose garde le silence, les yeux dans l'eau. Je murmure :

— Vous me faites penser à quelqu'un.

Elle me jette un coup d'œil et, derrière ses larmes, je sens un certain intérêt. Encouragée, je continue :

— Un gars que je connais. Lui aussi, il adore la mer. Il aime les étoiles aussi et… et le bois.

Là, pas de doute, je viens de me trahir. Olivia sait que je parle de Benjamin, que ça ne peut être que lui. Tant pis, je continue.

— Je suis sûre qu'il vous comprendrait. Lui non plus, il ne pourrait pas supporter de vivre loin de la mer. Il m'a dit qu'il avait hâte de compléter sa formation en ébénisterie pour pouvoir revenir par ici… et il n'est même pas encore parti ! Il lui reste un an avant de s'en aller !

— Il t'a dit ça ? Quand ?

Je savais qu'Olivia saurait tout de suite de qui je parlais.

— Il y a deux semaines, dans son atelier.

— Ah, pendant que tu faisais ton coffret à bijoux ?

— Oui.

— Il t'a trouvée très bonne, en passant. Il a dit que tu apprenais vite, pour quelqu'un qui commence.

Son commentaire me fait plaisir. Vraiment, vraiment plaisir. Je souris.

— Il a dit ça ?

Madame Rose a encore les yeux qui brillent, mais ce ne sont plus des larmes, maintenant. Elle se passionne pour notre conversation, à Olivia et moi. Tout comme madame Angélique, qui remarque :

— S'il parle de toi quand tu n'es pas là, c'est bon signe !

Madame Rose renchérit :

— Oui, très bon signe !

Elles commencent à me taper sur les nerfs avec leurs sous-entendus. Je me suis peut-être « améliorée » depuis le début de l'été, mais ça ne veut pas dire que je peux tout endurer sans un mot.

— Signe de quoi ?

— Voyons, Alissa ! Ça fait peut-être cinquante ans que mon mari est mort, mais je sais reconnaître une histoire d'amour quand j'en vois une !

J'éclate de rire.

— Ça n'a rien à voir !

— Écoute, il parle de toi quand tu n'es pas là…

— Pas tant que ça !

Merci, Olivia.

— … tu parles de lui quand il n'est pas là…

— C'est la première fois !

Ce n'est pas un mensonge, seulement une petite entorse à la vérité…

— … et en plus, quand tu en parles, ça se voit dans tes yeux…

— Qu'est-ce qui se voit, voulez-vous me dire ?

— Que tu l'aimes bien, ce garçon-là !

Je grimace.

— C'est sûr que je l'aime bien ! Je n'aurais pas passé autant de temps avec lui dans son atelier si je le détestais ! Mais je ne l'aime pas tout court. Ça n'a rien à voir. Il n'est pas du tout mon genre. Hein, Olivia ?

Comme si Olivia savait quel est « mon genre »… Ce n'est pas parce qu'on se parle quinze minutes par jour qu'on se connaît à ce point… Mais je suis prête à m'accrocher à n'importe quelle bouée pour me sortir de là.

Olivia sourit.

— Ça, c'est vrai. Benjamin n'est vraiment pas le genre de gars avec qui Alissa pourrait sortir et Alissa n'est pas le genre de Benjamin non plus. Moi, en tout cas, je ne les vois pas du tout ensemble.

Elle est tellement convaincante que du coup, madame Rose et madame Angélique changent de sujet. C'est ce que j'espérais, et pourtant… j'en veux à Olivia. Elle vient pratiquement d'affirmer que Benjamin n'a jamais pensé que je pourrais devenir sa blonde. Le souvenir de notre dernière soirée sur la plage, lui et moi, me revient comme une claque en pleine face. C'est la deuxième fois qu'on me fait sentir que Benjamin n'est absolument pas attiré par moi. Ce n'est pas que j'aimerais sortir avec lui, jamais de la vie, mais il est le premier gars qui ne fait rien pour me séduire, le premier à me donner l'impression qu'il ne veut rien savoir de moi, et décidément, je n'aime pas ça.

Chapitre 18

J'ai décidé de faire une femme de moi. Depuis trois jours, je n'arrête pas de penser à ma fameuse rencontre avec Benjamin sur le trottoir, le soir où j'ai fait comme s'il n'existait pas, et ça me ronge. Je me sens épouvantablement moche. Ça m'énerve. Ce soir, j'ai décidé que j'allais remédier à la situation.

Le problème, c'est qu'en arrivant chez lui, je découvre qu'il n'est pas à son atelier. Il est trop tard pour qu'il travaille encore à la quincaillerie et trop tôt pour qu'il soit sur la plage. Déçue, je reprends le chemin de la maison en me disant qu'il faudra que je revienne demain… et que j'ai donc une autre journée complète devant moi à me sentir misérable.

Cinq minutes plus tard, je l'aperçois à quelques mètres devant moi, qui marche dans la rue du bord de la mer. Il n'est pas seul. Il est avec les mêmes amis que la dernière fois.

J'aurais le temps de traverser la rue pour les éviter. Je pourrais encore faire comme si je ne le connaissais pas. Après tout, ce n'est pas le scénario que j'avai[illegible] Je n'avais pas prévu m'excuser devan[illegible], moi !

Non. Ça va faire, là, les comportements snobs. Quand j'ai dit que j'étais décidée à faire une femme de moi, je ne plaisantais pas !

Je prends une grande inspiration et continue ma route de mon pas le plus assuré, même si je tremble à l'intérieur.

Benjamin ne ralentit pas en me voyant. Il accélère, même ! Il descend du trottoir et me dépasse sans un regard, sans un mot. Il fait exactement comme si je n'étais pas là ! Je reste figée sur mon bout de trottoir, sonnée. Il ne s'imagine pas le courage que ça m'a pris pour venir et tenir ma résolution jusqu'au bout !

Non... mais c'est vrai qu'il ne sait pas ce que j'ai derrière la tête. Dans le fond, il me rend la monnaie de ma pièce. Peut-être qu'il veut que je sache comment il s'est senti, lui, quand j'ai fait exactement la même chose. Ça va, ça va, j'ai compris... Mais les choses n'en resteront pas là.

Je me retourne. Il n'est pas très loin.

— Benjamin !

Il s'arrête et se retourne en fronçant les sourcils tandis que je marche vers lui (vers eux, devrais-je dire).

D'un seul souffle, je lance :

— Je m'excuse pour l'autre soir. J'ai été vraiment bête. Je n'aurais pas dû faire comme si tu n'étais pas là.

Surpris, il me dévisage en silence pendant de longues secondes, puis il demande :

— Tu as eu peur de ce que tes amies penseraient de toi, hein ?

Impossible de mentir. Ou plutôt, je n'ai plus envie de mentir. Plus envie de me cacher. J'en aurais encore pour des jours à me sentir minable.

— Oui. Mais là, c'est différent.

— C'est sûr que c'est différent, tu es toute seule !

— Non, je veux dire, j'ai décidé de changer. J'ai dit à Marie-Pier que j'ai travaillé avec toi dans ton atelier.

Une certaine pudeur me retient de parler aussi de nos moments sur la plage. Travailler dans un atelier, ça peut toujours passer ; des soirées seuls tous les deux au bord de la mer à observer les étoiles, ça pourrait donner de fausses idées aux deux gars qui nous écoutent avec des yeux ronds... Je veux bien que la vérité se sache, mais pas question d'encourager des rumeurs farfelues.

Benjamin a l'air sceptique.

— Et ? Comment elle a réagi ?

Je hausse une épaule.

— Elle ne me parle plus depuis deux jours. Mais ce n'est pas grave.

C'est vrai, dans le fond. Une amie qui nous lâche parce qu'elle n'aime pas ceux qu'on fréquente n'est pas une vraie amie.

Benjamin m'adresse un grand sourire qui efface tout, de la désertion de Marie-Pier à ma propre lâcheté d'il y a quelques jours.

— Bon... Alors, on oublie ça, Alissa. Il n'y a vraiment pas de quoi en faire toute une histoire. À la prochaine !

— Bonne soirée !

J'ai l'impression qu'il vient de m'enlever le monde de sur les épaules. Je n'ai jamais ressenti un tel soulagement de toute ma vie. Et je me rends compte que si le rejet de mes amies me fait mal, la blessure aurait été au moins aussi grande si Benjamin ne m'avait pas pardonné.

Avant de partir, je salue aussi Sylvain et Mathieu, question de leur faire comprendre que je n'ai plus l'intention d'ignorer qui que ce soit, à l'avenir.

Je retourne chez moi en dansant presque.

C'est bien beau tout ça, mais on est maintenant dimanche, et toujours pas de nouvelles de Marie-Pier. Je veux bien dire bonjour à tous les gens que je rencontre, je n'ai pas envie de passer le restant de mes jours toute seule ! Je ne suis pas faite pour la vie solitaire, moi. J'ai besoin de voir mes amis !

Sauf que… pas question que j'appelle Marie-Pier pour me faire recevoir comme la dernière des imbéciles. C'est exactement ce qu'elle pense de moi, je crois. Elle doit s'imaginer que seule une imbécile pourrait avoir envie de fréquenter Benjamin Côté. Tant pis. C'est elle, l'imbécile, pas moi. Même si je sais que j'aurais pensé exactement comme elle il y a deux mois…

Au fond, il y a une seule personne que j'ai envie de voir aujourd'hui. Une personne qui connaît Benjamin, qui connaît le travail que je fais, qui connaît aussi le genre de vie de famille que j'ai. Une personne qui me comprend.

Olivia.

Je trouve rapidement son numéro de téléphone dans l'annuaire.

— Allô !

— Bonjour. Est-ce que je pourrais parler à Olivia ?

— Un instant.

C'est Benjamin. Je ne l'avais pas reconnu à son « Allô ! », mais pas de doute, c'est lui. Ça me fait tout drôle de l'entendre au téléphone.

— Allô ?

— Salut, Olivia. C'est Alissa. Je me demandais si tu aimerais qu'on aille faire un tour sur la plage ?

Un silence. Elle va dire non…

— Avec qui ?

— Heu… avec moi !

— Et tes amies ?

— Je n'ai pas de nouvelles de mes amies depuis une semaine. De toute façon, je n'ai pas envie d'y aller avec elles, c'est à toi que je le demande.

Elle commence à m'énerver. Si elle ne veut pas venir, qu'elle le dise et qu'on en finisse ! Mais non, elle répond avec un grand sourire dans la voix :

— D'accord. On se rejoint où ?

— Je passe te prendre. À tout de suite !

Benjamin n'était pas là quand je suis arrivée chez lui. J'étais presque déçue. Presque.

Une fois bien installée sur ma serviette de plage, je raconte à Olivia pourquoi Marie-Pier ne me parle plus. Elle est scandalisée pour son cousin, mais plutôt impressionnée par mon comportement.

— Wow ! Je n'aurais jamais cru que tu ferais ça.

— Moi non plus, je t'avoue.

Le soleil me chauffe la peau. Je suis tellement bien que je pourrais m'endormir là, mais ce ne serait pas très poli pour Olivia.

— Liv ?

C'est la première fois que je l'appelle comme ça. C'est sorti tout seul. Elle répond tout naturellement :

— Quoi ?

— Tu penses que madame Rose va s'en sortir ? Elle a l'air tellement déprimée depuis qu'elle s'est rendu compte qu'elle n'aura plus la plage devant elle, au centre d'accueil…

— Oui, c'est vrai qu'elle a changé. Elle a toujours l'air un peu triste, maintenant.

— Ça m'inquiète. J'ai peur qu'elle fasse une dépression. Je ne sais pas quoi lui dire pour la rassurer, pour la consoler…

— Tu vas sûrement trouver quelque chose. Arrête d'y penser, ça viendra tout seul. Et si ça ne vient pas… ne t'en fais pas trop. Tu n'es pas sa mère, tu sais. Et elle aura madame Angélique juste à côté. Je gage qu'elles vont avoir un plaisir fou, toutes les deux.

L'image de nos deux vieilles dames en train de faire la fête dans leur chambre du centre d'accueil me traverse l'esprit. Pendant une seconde, j'ai presque envie de rire. Puis mon sentiment d'impuissance reprend le dessus.

— Quand même, ça me désole de la voir comme ça…

Olivia tourne la tête vers moi.

— Peut-être que tu pourrais faire un album de *scrapbooking* avec elle ? Elle aime tellement celui de madame Angélique !

— Je ne connais rien là-dedans. De toute façon, avec le nombre de photos qu'elle a, ça me prendrait un an pour passer au travers.

— Hmm… Tu as raison. Mauvaise idée.

Olivia s'en tient là. Je retourne à ma torpeur, prête à oublier madame Rose pour le reste de l'après-midi et à profiter de ma journée de congé.

Malheureusement, mon subconscient, lui, en a décidé autrement.

Je m'assois tout à coup comme si je me réveillais d'un cauchemar.

— J'ai trouvé !

Olivia demande d'une voix endormie :

— Tu as trouvé quoi ?

— Ce que je vais faire pour madame Rose !

Sourcils froncés, elle me jette un coup d'œil à travers ses lunettes de soleil.

— Ce qui la fait tant déprimer, c'est qu'elle ne pourra plus profiter de la mer. Mais le centre d'accueil est collé sur la plage, et il y a une véranda…

— … qui est complètement inutilisable, je te ferai remarquer.

— Oui, mais ça se répare ! Ou ça se rebâtit, non ?

Du coup, Olivia s'assoit elle aussi et enlève ses lunettes pour mieux me dévisager.

— Tu vas refaire la véranda ? C'est ça ton idée ?

— Bien sûr que non ! Pas moi ! Je vais aller voir le directeur du centre d'accueil et je vais lui en parler ! Il doit avoir un budget pour ça, non ?

— Et tu crois vraiment que personne n'y a pensé avant ?

— Je vais être convaincante. Je vais lui dire que je peux aider. Je serais sûrement capable, si quelqu'un me disait quoi faire…

— Excuse-moi, mais ce n'est pas parce que tu as réussi à fabriquer un coffret à bijoux que tu peux construire une véranda !

Qu'est-ce qui lui prend ? Je demande d'un ton plutôt agressif :

— Quoi, tu as une meilleure idée, toi ?

— Non… C'est juste que je ne voudrais pas que tu sois déçue si ça ne marche pas.

— Ça, je ne le saurai pas tant que je n'aurai pas demandé. Le pire qui puisse arriver, c'est que je me fasse dire non.

Elle se recouche sur sa serviette avec un sourire en coin.

— Si tu le prends comme ça, vas-y fort, ma chère. Et tant qu'à y être, demande donc à Benjamin de t'aider.

Honnêtement, très très honnêtement, je n'avais pas pensé à lui au début. Quand Olivia a mentionné le coffret à bijoux, son nom m'est venu en tête, vaguement... Je n'aurais pas osé lui demander son aide, mais maintenant qu'Olivia me l'a suggéré...

Mon amie s'étire de tout son long et ajoute :

— Si tu veux, moi aussi, je t'aiderai. Et peut-être que ta gang embarquerait aussi !

— Ça, ça me surprendrait.

— Comme tu dis, le pire qui puisse arriver, c'est qu'ils te disent non et tu n'en mourrais pas !

Elle n'a pas tort... Je réfléchis quelques secondes puis m'étends sur ma serviette à mon tour. Je n'ai plus envie de me casser la tête pour aujourd'hui. Je réfléchirai à ça plus tard.

Au bout d'une minute, Olivia marmonne :

— C'est drôle que tu m'aies appelée comme ça.

— Comme quoi ?

— Liv. Tous mes amis m'appellent Oli. Il y a juste une autre personne au monde qui m'appelle Liv.

— Ah oui ? Qui ?

— Benjamin.

J'aurais dû y penser.

Chapitre 19

Je claque la porte, complètement hors de moi. Assise à la table de la cuisine, ma mère sursaute.

— Doucement, Alissa ! Qu'est-ce qui se passe ?

Je m'effondre sur une chaise, pour me relever aussitôt. Je suis trop en colère pour tenir en place.

— Il m'énerve ! Il m'É-NER-VE ! Tu ne peux pas savoir à quel point ça me met hors de moi, des gens comme ça !

— De qui tu parles, veux-tu me dire ?

— Du directeur ! Pardon, de MONSIEUR le directeur du centre d'accueil ! Je ne peux pas le sentir, celui-là ! Je ne veux plus jamais le revoir de ma vie !

— Bon, j'imagine que ça ne s'est pas bien passé, votre rencontre…

Je la fusille de mon regard le plus bête. Puis, pour me faire pardonner, je lui raconte ma discussion avec ce fameux MONSIEUR le directeur.

Ça m'énerve, les gens qui s'imaginent que parce qu'on est jeunes, on n'a rien dans la tête. Les gens qui croient qu'avant quarante ans, on n'est bon à rien. Franchement ! Pour une fois qu'une ado s'intéresse aux personnes âgées et veut faire quelque chose de bien pour elles, il me semble qu'il aurait dû sauter sur l'occasion, non ? Eh bien non, justement ! Il m'a regardée de haut tout le temps que je lui ai exposé mon idée, tellement qu'au bout d'une minute, je bafouillais. Il a dû me prendre pour la plus parfaite des imbéciles. C'est lui, l'imbécile ! Je m'offre pour un projet, bénévolement en plus, j'engage mes amis avec moi (même si je n'en ai pas encore parlé à Benjamin) et monsieur fait celui qui n'est pas intéressé ! Comme si mon temps ne valait rien ! Comme si MOI, je ne valais rien !

Je rage, je fulmine, j'ai envie de casser quelque chose. Pas besoin d'être clairvoyant pour comprendre que je suis sur le bord de faire une crise majeure. Ma mère me dit doucement :

— Calme-toi, Alissa, ça ne sert à rien de t'énerver.

— Je ne peux pas me calmer ! Je ne peux pas !

— Assois-toi deux minutes, tu veux ?

Elle a l'air d'avoir une idée derrière la tête, alors je m'assois, plus ou moins convaincue qu'elle va réussir à résoudre mon problème.

— Ne monte pas sur tes grands chevaux, ma chérie, mais je crois que tu y vas un peu fort.

— Quoi ? Je...

— Laisse-moi parler. Tu pourras me traiter de tous les noms que tu voudras après, je te le promets. Écoute, je le connais, moi, le directeur. Je travaille avec lui, tu te rappelles ?

— Tu travailles *pour* lui, c'est très différent !

— Bon, d'accord, pour lui. Mais je le connais. Il n'est pas du tout comme tu penses. Si tu arrivais avec un plan, des idées vraiment précises, des noms de personnes qui vont travailler avec toi, ça marcherait peut-être mieux... Là, tu avais juste une grande idée, une très bonne idée, c'est vrai, mais rien de coulé dans le béton, et c'est pour ça qu'il ne t'a pas donné grand espoir.

— Il m'a presque ri au nez, tu veux dire !

— Je ne crois pas, moi. C'est juste qu'il ne peut pas promettre quelque chose à quelqu'un qui lui arrive avec un projet vague sans trop savoir où il s'en va. Quand tu m'en as parlé, de ton histoire de véranda, j'ai trouvé que c'était génial. Et très généreux de ta part de t'impliquer autant. Mais il te manque plein de détails importants.

— Penses-tu que ça me tente, maintenant, de faire un plan ? Pour arriver devant lui dans trois jours et me faire recevoir comme ça encore ? Non merci !

— Ça vaudrait la peine d'essayer, non ? Le pire qui pourrait arriver…

— … ce serait qu'il me dise non, je sais. Et je n'en mourrais pas, je sais aussi.

Ce n'est peut-être pas si bête, ce qu'elle raconte. C'est vrai que pendant que j'essayais d'expliquer mon projet au directeur, j'avais l'impression que mon histoire avait des trous. Je me rends compte que je ne savais pas vraiment de quoi je parlais, ni dans quoi je m'embarquais.

— Qu'est-ce qui me manquerait comme détails importants, comme tu dis ?

Ma mère va chercher un crayon et une feuille de papier.

— Bon, pour commencer, ça te prend un contremaître, quelqu'un qui a de l'expérience dans la construction. Puis, des ouvriers. Olivia et toi, c'est très bien, mais tu ne connais pas grand-chose là-dedans, et elle non plus, probablement. Puis, le matériel. Le bois, les clous, tout ça… il faudra que tu demandes à quelqu'un de t'aider à dresser la liste. Je ne sais pas tout ce que ça prend, mais il doit y avoir des tonnes de choses à acheter. Il faudra aussi t'informer si le centre d'accueil a un budget pour ça. Ensuite…

Plus la liste s'allonge, plus je sens ma colère fondre, remplacée par un fort sentiment de découragement. Je ne croyais pas que c'était si compliqué. Je pensais qu'il suffirait que je lance mon idée et que j'offre mes services pour que le reste se fasse tout seul. Je suis d'une naïveté incroyable.

Une fois la feuille remplie (recto verso, s'il vous plaît), ma mère pose son crayon et me regarde. Je ne dis rien. J'ai une boule dans la gorge. J'ai juste envie de la déchirer en mille morceaux, sa feuille.

— Alissa, ma chérie, écoute-moi. Il ne faut pas que tu te décourages. Pas avant d'avoir essayé. Je suis sûre que tu peux réussir.

— Comment ça, tu en es sûre ?

Elle se lève, m'embrasse sur le front.

— Je te connais.

Moi qui ai l'impression ces temps-ci que je ne fais jamais rien de bien, que je n'ai jamais rien accompli qui en vaille la peine, je me sens tout à coup une autre personne. Ces trois petits mots m'ont donné la force de soulever des montagnes.

C'est décidé, je vais foncer. Comme dit ma mère, je dois au moins essayer avant de lancer la serviette. Comme ça, si j'échoue, je pourrai dire que j'ai fait mon possible.

Mais je ne peux pas réussir toute seule. Ça, c'est une certitude. J'ai besoin d'aide. Et je sais exactement qui aller voir.

Il n'est pas dans son atelier. Il n'y a personne. J'entre quand même. Sa présence imprègne les quatre murs, les morceaux de bois qui traînent, les outils qui attendent qu'il revienne pour se remettre à vivre. Et je sais que si quelqu'un peut m'appuyer, permettre que ce projet voie le jour, c'est bien lui.

S'il n'est pas ici, il ne peut être qu'à un endroit.

C'est encore une nuit parfaite, comme l'autre soir. Avec des étoiles plein le ciel et la mer comme un miroir. Évidemment, il est là, toujours au même endroit, toujours couché dans le sable. D'ici la fin de l'été, la marque de son corps sera gravée là jusqu'au printemps prochain, j'en suis sûre.

— Salut, Benjamin.

— Salut, Alissa.

— Excuse-moi de te déranger, mais il faut que je te parle.

— Tu ne me déranges pas du tout. C'est à propos de ta véranda ?

Devant mon air surpris, il ajoute :

— Olivia m'en a parlé. Tu rencontrais le directeur aujourd'hui, c'est ça ?

Je suis contente qu'il soit au courant. Ça veut dire qu'il a eu le temps d'y penser. D'un autre côté, il a peut-être eu le temps de se rendre compte que ça ne l'intéressait pas du tout…

— Oui, je l'ai rencontré aujourd'hui et ça a été catastrophique.

Je lui raconte les dix minutes affreuses que j'ai passées au centre d'accueil, puis la conversation avec ma mère. Il m'écoute en regardant le ciel, tournant la tête vers moi de temps en temps.

— Elle a raison, ta mère.

— Oui, je pense aussi. Même si ça me fait enrager.

Il rit.

— Tu voudrais que je t'aide, c'est ça ?

— Oui. Tu t'y connais pas mal plus que moi et je me disais que ton père pourrait peut-être te donner un coup de main, pour les plans et la liste des matériaux, tout ça… Mais je ne voudrais pas te forcer. Je ne me fâcherai pas si tu dis non.

J'essaie de prendre un air nonchalant et je crois que je réussis plutôt bien; pourtant, mon cœur bat la chamade. Si Benjamin refuse, je peux dire adieu à mon projet.

— Ça m'intéresse. Et je suis sûr que mon père va trouver que c'est une bonne idée. Peut-être même qu'il pourrait nous commanditer une partie du matériel. On aurait plus de chances que le projet soit accepté comme ça.

Il a dit « on ». « On aurait plus de chances… » Je me sens immensément soulagée. Je ne suis plus toute seule.

— Alors, c'est oui ? Tu vas m'aider ?

— Oui. Je vais t'aider.

Je pousse un énorme soupir en me laissant tomber sur le dos, à côté de lui. Il tourne la tête vers moi.

— Ça te tient vraiment à cœur, ce projet-là, hein ?

— Oui. Si tu avais vu madame Rose nous raconter à quel point la mer va lui manquer, tu comprendrais. J'aimerais faire ça pour elle. Je me sentirais plus tranquille quand elle déménagera. J'aimerais qu'elle soit heureuse, tu comprends ? Elle a eu tellement de malheurs dans la vie… Et elle m'a tellement aidée… Je voudrais faire quelque chose pour la remercier. En plus, ça servirait aux autres pensionnaires en même temps, alors tout le monde serait content !

J'ai beau regarder les étoiles, je sais que Benjamin ne me quitte pas des yeux. Je sens qu'il ne sourit plus, qu'il est maintenant très sérieux.

— Tu es quelqu'un, Alissa Martin. Je n'aurais jamais cru ça, mais tu es vraiment quelqu'[illegible]

Je me tourne vers lui. Et ce que je [illegible] coupe le souffle.

Ce qu'il y a dan[illegible] c'est… de l'admiration [illegible] regardée comme ça. Je m[illegible] désirée, enviée, oui, plusieur[illegible] pour ce que je fais, pour ce [illegible] jamais.

Je bredouille :

— Tu exagères, je n[illegible] si extraord[illegible] que ça…

— Arrête. Je n'exagère pas du tout. Tu es la fille la plus fascinante que je connaisse.

Le regard planté dans le mien, il se soulève sur un coude. Je sens venir la catastrophe, mais je ne peux pas bouger, hypnotisée par ses yeux, par sa bouche. Il se penche vers moi.

Et il m'embrasse.

Je reste figée, pétrifiée, incrédule. Benjamin ne peut pas m'embrasser ! Ce n'était pas prévu ! Ce n'est pas possible ! Ce n'est pas…

Ce n'est pas désagréable. Pas du tout. C'est même le baiser le plus doux que j'aie jamais reçu.

J'ai à peine le temps de me rendre compte que j'aimerais peut-être voir l'expérience se prolonger qu'il se redresse, une lueur de panique dans les yeux, et bredouille :

— Excuse-moi… Je n'aurais pas dû… Je ne voulais pas…

Il s'interrompt une seconde, avale sa salive répète :

— Excuse-moi.

Il se lève d'un bond et s'en va en courant presque, me laissant seule et complètement perdue, le souffle court et le cœur en déroute, sous ce ciel de nuit parfaite qui semble soudain me narguer.

Chapitre 20

Je suis lâche. Je suis la pire des lâches et je me déteste. Je me déteste, je me déteste, je me déteste ! Je vais me détester jusqu'à la fin de mes jours ! Je ne mérite pas qu'on m'aime, je ne mérite même pas de respirer !

Je me croyais bonne, je me croyais belle, je me croyais intelligente. Ma mère, Olivia, madame Rose, tout le monde me disait que j'avais changé depuis le début de l'été. Même Benjamin. *Surtout* Benjamin. Lui qui disait que je suis moins snob qu'avant, il se trompait et pas à peu près.

Je suis la fille la plus snob et la plus superficielle que la Terre ait jamais portée !

Ça, c'est clair. Parce que si je n'avais pas été aussi snob et superficielle, j'aurais couru après Benjamin, hier soir, au lieu de le laisser s'en aller sans tenter le moindre geste, le moindre mot pour le retenir. Si j'avais eu le courage de laisser un peu de côté l'opinion des autres, et surtout celle de mes amies, j'aurais passé par-dessus le fait que Benjamin n'est pas très populaire et je lui aurais demandé... non, je l'aurais supplié de recommencer à m'embrasser. Parce que c'était exactement ce que je voulais. Parce que jamais personne avant lui ne m'a mise dans un pareil état. Parce que j'ai passé la moitié de la nuit à essayer de trouver comment je vais pouvoir le regarder en face et lui avouer que... que quoi, au juste ? Que je suis amoureuse de lui ? C'est un peu fort, peut-être...

Non, ce n'est pas un peu fort. Je suis amoureuse. Comme je ne l'ai jamais été, en plus !

MERDE !!!

Oui, merde, parce que je n'aurai jamais le courage d'avouer cet amour-là ! L'autre moitié de la nuit, je l'ai passée à me tourner et me retourner dans mon lit en imaginant la réaction qu'auraient Marie-Pier, Joanie et Kim si je leur annonçais un matin, tout bonnement, que je sors avec Benjamin Côté. Je deviendrais la risée de toute l'école en trente secondes ! Et ça, je ne veux pas !

Donc, je suis lâche. L'opinion de trois amies qui me laissent tomber dès que j'ose dévier de leur ligne de pensée compte plus pour moi que celle d'un gars qui ne m'a jamais rien demandé mais qui, je le sens, serait prêt à n'importe quoi pour me faire plaisir.

Est-ce que j'ai dit que je me détestais ?

Pendant tout l'avant-midi que nous passons chez madame Angélique, Olivia me regarde de travers. À la première occasion, elle me prend à part et siffle entre ses dents :

— Qu'est-ce que tu as fait à Benjamin ?

— Qu'est-ce qu'il t'a dit ?

— Rien. Mais il est arrivé hier soir complètement déboussolé. Et je sais qu'il était avec toi.

— Qu'est-ce qui te fait dire ça ?

— Il avait une feuille dans les mains, avec des détails concernant ton projet de véranda.

Assez révélateur, en effet. Je décide de lui dire la vérité. De toute façon, j'ai besoin d'en parler à quelqu'un et je ne vais sûrement pas sauter sur le téléphone pour appeler Marie-Pier !

— Il m'a embrassée.

L'expression d'Olivia serait comique si le moment n'était pas aussi grave.

— Et ? Qu'est-ce que tu as fait ?

— Rien.

Elle me regarde pendant de longues secondes. Je finis par baisser les yeux.

— Tu m'écœures ! Pourquoi tu le traites comme ça ? Pour te prouver que tu peux avoir vraiment n'importe quel gars ? Tu es contente, maintenant ?

— Non ! Non, je ne suis pas contente ! Tu n'as rien compris du tout !

Elle ne m'écoute plus, mais madame Rose et madame Angélique, elles, sont tout ouïe. Je me mords les lèvres pour ne pas pleurer. Qu'est-ce que je pourrais ajouter pour me justifier, de toute façon ? Que je ne peux pas tomber amoureuse de Benjami[illegible] mes amies vont rire de moi ? Je ne cr[illegible]derait ma cause…

Dire que je passe le reste de la journée à me sentir mal dans ma peau serait un euphémisme.

J'ai besoin de parler à quelqu'un, sinon je vais exploser. Mais à qui ? Marie-Pier ne comprendrait pas, Olivia encore moins… Madame Rose a bien essayé de forcer les confidences, mais je n'ai pas envie qu'elle connaisse cette partie de moi, la partie laide et mauvaise dont je croyais m'être débarrassée. Il reste ma mère. Pathétique. Moi qui ai toujours eu des amies à la tonne, me voilà réduite à prendre ma mère comme confidente, pour la deuxième fois de l'été en plus.

Bon, me voilà qui fais ma snob, encore !

De toute façon, ce n'est pas comme si j'avais le choix. Ou je parle à ma mère, ou je ne parle à personne.

Elle est encore plongée dans un roman. Elle lit tout le temps, ma mère. Je ne comprends pas pourquoi elle n'est pas allée à l'université.

Ah oui, c'est vrai ! Elle a arrêté ses études à cause de moi !

Décidément, j'ai un don pour gâcher la vie des gens.

— Maman ?

Ma voix tremble. J'espère qu'elle n'a pas remarqué… Mais non, elle a compris, bien sûr. Elle a senti que je suis au bord du désespoir.

— Qu'est-ce qu'il y a, chérie ?

Ça y est, je ne suis plus au bord du désespoir, je bascule en plein dedans.

Ma mère recueille dans ses bras une fille en pleurs, une grande fille de seize ans qui se sent aussi minuscule que si elle en avait quatre. Sauf que les problèmes sont beaucoup plus compliqués à seize ans qu'à quatre.

— Alissa… Parle-moi, s'il te plaît…

Avec des phrases hachées et sûrement très incohérentes, je lui raconte la désertion de mes amies, le baiser de Benjamin et la réaction virulente d'Olivia. Par je ne sais quel miracle, elle réussit à comprendre. L'instinct maternel, sans doute.

Sans desserrer son étreinte, elle m'attire sur le divan et attend que ma crise de larmes se calme. Puis elle dit doucement :

— Ma pauvre chérie, je sais exactement ce que tu peux ressentir.

— Non, tu ne peux pas, tu…

— Oui, je peux. Tu t'imagines que je n'ai jamais vécu de rejet, moi ? Comment tu penses que les gens ont réagi quand je suis tombée enceinte ?

— Tu ne me feras pas croire que tes amies ont ri de toi !

— Non, elles n'ont pas ri de moi. Même qu'elles ont trouvé ça merveilleux que je tombe enceinte. Quand tu es née, elles t'ont toutes trouvée adorable. Mais au bout de six mois, je n'avais plus de nouvelles de personne.

— C'est ça, essaie donc de me culpabiliser ! Tu réussis très bien, d'ailleurs !

— Je n'essaie pas du tout de te culpabiliser. Je t'ai déjà dit que tu es ce qui m'est arrivé de mieux dans la vie. Même si tu n'étais pas là, ces filles-là ne seraient probablement plus mes amies aujourd'hui. Parce que si elles m'ont laissée tomber, c'est qu'elles n'étaient pas de *vraies* amies, tu comprends ? Toi, tu es encore là. Mais pas elles.

Le message fait lentement son chemin.

— Finalement, ce que tu veux dire, c'est que si Marie-Pier et les autres ne me parlent plus à cause de Benjamin, elles ne sont pas de vraies amies.

— Exactement.

J'étais déjà arrivée plus ou moins à la même conclusion, mais l'entendre dans la bouche de quelqu'un d'autre me donne un choc.

— Tu penses que je devrais oublier ce qu'elles vont penser et faire ce que moi, j'ai envie de faire, c'est ça ?

— Je pense que tu devrais t'arranger pour être heureuse. Ça me crève le cœur de te voir comme ça. Mais c'est à toi de décider.

La sonnette de la porte d'entrée choisit ce moment pour se faire entendre. Comme si on avait besoin de visite ! J'hésite, puis maman se lève.

— Je vais y aller, c'est peut-être important.

— Laisse, j'y vais. Tu es déjà en pyjama, toi.

Je me rends à la porte en traînant les pieds.

Ma mère avait raison : c'est important. C'est Benjamin.

Je reste tellement surprise de le voir là que je ne pense même pas à lui dire bonsoir.

— Salut, Alissa. Tu vas bien ?

Il a l'air un peu inquiet. Je me rends compte avec horreur qu'après avoir versé toutes ces larmes, je dois avoir une mine à faire peur. Un regard de raton laveur, probablement…

Je me force à sourire, pas certaine d'être convaincante.

— Oui oui, ça va, et toi ?

— Oui, merci. J'ai regardé ta feuille avec mon père et on a noté tout ce qu'il te fallait. Tiens.

Il me tend quelques feuilles pliées en deux. Je les prends en faisant bien attention que mes doigts ne frôlent pas les siens.

— Vous avez écrit ça aujourd'hui ?

— Oui, c'était tranquille à la quincaillerie.

— Wow ! Je ne pensais pas que tu le ferais si vite…

En fait, après ce qui s'est passé, je ne pensais pas qu'il le ferait tout court.

Je retrouve assez de présence d'esprit pour lui demander :

— Tu veux entrer?

Je m'attends à ce qu'il refuse, mais il accepte. Mon cœur s'emballe. Franchement, j'aurais préféré qu'il dise non.

Ça me fait drôle de le voir entrer dans la maison. Lui qui n'est pas précisément un géant, tout à coup il me semble qu'il prend beaucoup de place. Qu'il prend toute la place, même. Ça me donne un choc de le voir là, dans mon décor de tous les jours. Dans ma vie de tous les jours.

Et soudain, tout devient très clair.

Ma vie, c'est comme ça que je la veux. C'est comme ça qu'elle devrait être. Avec lui dedans. Sinon, c'est trop vide. *Moi*, je suis trop vide. Les autres diront ce qu'ils voudront, ils ne connaissent pas Benjamin comme je le connais, moi. Ils n'ont pas cette chance. S'ils ne comprennent pas ce qu'ils laissent passer en l'ignorant, tant pis pour eux.

Je me sens soudain heureuse, pleine d'énergie. Je pourrais danser dans la cuisine. Je me retiens, quand même : pas question de faire fuir Benjamin avec un comportement de débile !

Ma mère choisit ce moment pour traverser la pièce.

— Je vais aller lire au lit, Alissa. J'ai eu une grosse journée. Bonne nuit, chérie. Salut, Benjamin !

Bonne nuit, mon œil ! Il est à peine huit heures... Mais je comprends le message. Elle me laisse le champ libre. Merci, maman.

Benjamin attend que la porte de la chambre se ferme, puis il bafouille :

— Alissa, heu... je ne suis pas venu juste pour ton projet. Je voudrais te parler de... tu sais...

Je prends une grande inspiration et hoche la tête. Il a du courage, je trouve, de plonger comme ça au cœur d'un pareil sujet. Parce que j'ai deviné de quoi il s'agit, bien sûr. Il est évident que la soirée d'hier le tourmente autant que moi.

— Je n'ai pas réfléchi, hier. Je ne sais pas ce qui m'a pris. Je te jure que ce n'était pas prémédité. Je n'avais jamais pensé à toi comme... comme... comme à une fille.

— Pardon ?

— Tu sais ce que je veux dire... Tu es une super bonne amie et je n'ai jamais imaginé que ça pourrait être autre chose... J'espère qu'on va rester amis ? Tu ne m'en veux pas ?

Ma belle énergie vole en éclats en même temps que mon cœur. Je réussis à répondre que bien sûr que non, je ne lui en veux pas. C'est le plus gros mensonge de l'humanité. Évidemment que je lui en veux ! Je voudrais le tuer… au moins autant que j'ai envie de me jeter dans ses bras.

Son grand sourire et son expression de soulagement finissent de me mettre à terre. Par je ne sais quel miracle, je réussis à faire semblant de m'intéresser à son foutu projet de véranda. Je sais, c'est le mien, mais il ne veut plus rien dire maintenant. Je veux juste que Benjamin s'en aille. Il parle de bois, de plans, alors que j'ai envie de lui crier de partir. Plus il parle, plus il s'emballe et plus il est beau. Quand je pense que je l'ai déjà trouvé insignifiant…

Je n'ai plus du tout envie de faire ce projet, surtout que ça implique que je devrai passer plusieurs heures avec lui. Je cherche un prétexte pour tout abandonner quand il propose, les yeux brillants :

— J'ai pensé à quelque chose. Quand ce sera fini, on pourrait faire une inauguration pour les pensionnaires. Tu sais, une petite soirée, avec un ruban rouge à couper, de la musique, un buffet… Tu penses que madame Rose aimerait ça ?

Il a prononcé exactement les deux mots qu'il ne fallait pas : madame Rose. Oui, madame Rose aimerait ça. Je la vois déjà, tout heureuse, se bercer sur la véranda… Je ne peux pas lui enlever ça. Je peux bien vivre avec un cœur brisé pendant quelques jours, pour elle qui a vécu avec le sien pendant cinquante ans.

Je réussis à sourire.

— Elle va adorer.

Chapitre 21

Le directeur a accepté. Il aurait difficilement pu faire autrement. Le père de Benjamin nous fournira le bois gratuitement. En échange, le centre d'accueil s'engage à poser une plaque sur la véranda annonçant que les matériaux sont une commandite de la quincaillerie. Monsieur Côté s'offre aussi bénévolement comme ouvrier. Avec Benjamin et Olivia, évidemment. Et moi. Pauvre petite moi…

Je ne veux pas passer mes journées toute seule avec Benjamin, son père et Olivia. J'ai besoin de quelqu'un d'extérieur à cette famille, sinon je vais exploser. Je serais prête à promettre n'importe quoi, à supplier n'importe qui. N'importe qui. Même Marie-Pier.

J'ai composé son numéro tellement souvent que mes doigts courent tout seuls sur le clavier. Bientôt, je l'ai au bout du fil.

— Allô !

— Salut, Marie-Pier. C'est Ali.

Un silence. Puis elle demande d'une voix surprise :

— Alissa ?

— Oui, Alissa ! Tu en connais beaucoup, des Ali ?

— Non, mais… je ne m'attendais pas à ça.

Un silence. C'est bizarre. Marie-Pier et moi, on a toujours eu quelque chose à se dire, tout le temps, et là… c'est comme si je parlais à une étrangère. Les mots ne me viennent pas. À elle non plus, visiblement. Jusqu'à ce qu'on dise en même temps « Je m'excuse ». Là, on retrouve notre ancienne complicité et on se met à parler sans s'arrêter, à rire, à raconter des niaiseries.

C'est fou ! Je croyais que Marie-Pier ne m'appelait pas parce qu'elle ne voulait plus me parler… et elle pensait la même chose ! Que *moi*, je ne voulais plus la revoir ! Si je n'avais pas décidé de lui téléphoner, ce soir, on aurait passé le reste de nos vies à croire que l'autre nous en voulait !

Au bout de cinq minutes, Marie-Pier me dit :

— Je m'en allais chez Joanie, tu veux venir ?

Je ne me suis pas sentie aussi légère depuis longtemps.

— Parfait, attends-moi ! J'arrive !

Je suis tellement soulagée d'avoir retrouvé mon amie que je me sens presque heureuse. Tout ce qui me manque, c'est Benjamin.

Malheureusement, c'est un très, très gros morceau de mon bonheur.

Ça va aller. Je vais m'en sortir. Je n'ai pas besoin d'un gars pour être heureuse. J'ai retrouvé mes amies, c'est déjà ça !

Quand je suis arrivée chez Marie-Pier, c'est Jonathan qui m'a ouvert la porte. C'était la première fois que nous nous retrouvions face à face depuis notre rupture. Il y a eu une seconde de flottement, puis il m'a souri, m'a demandé « Comment ça va, Ali Baba ? », j'ai répondu « Bien, et toi ? » en souriant aussi, et tout est redevenu comme avant. Avant qu'on… j'allais dire « qu'on tombe amoureux », mais est-ce qu'on a jamais été vraiment amoureux, Jonathan et moi ? Quand je pense à ce que je ressens pour Benjamin, ma brève aventure avec le frère de mon amie me semble tellement irréelle… Alors, non, pas avant qu'on tombe amoureux, mais avant qu'on sorte ensemble. Tout le temps qu'il a été mon chum, Jonathan ne m'a jamais appelée Ali Baba. Il a repris ses anciennes habitudes. Je vois ça comme un signe qu'il a définitivement tourné la page. Tant mieux. Moi aussi, je suis prête à passer à autre chose.

Ce que je trouve triste, par contre, c'est de constater comment un gars peut s'interposer entre deux filles. Deux meilleures amies. Je sais que Jonathan sort avec Tamara, la blonde du party, depuis… mon Dieu, depuis presque la seconde où il s'est retrouvé célibataire, mais je l'ai appris par quelqu'un d'autre. Marie-Pier n'a jamais prononcé le nom de son frère devant moi depuis que je l'ai laissé. Moi, je ne suis pas certaine de pouvoir un jour lui parler de Benjamin. Marie-Pier et moi n'avons jamais eu de secret l'une pour l'autre. En l'espace d'un été, nous nous retrouvons avec deux sujets tabous sur les bras. Ça me fait mal.

Quand même, passer la soirée avec mes amies hier, pouvoir rire et discuter avec elles a mis un baume sur mon cœur. Évidemment, personne n'a prononcé le nom de Benjamin. Surtout pas moi. Je sentais que l'amitié était encore fragile et je n'avais pas envie que tout casse encore une fois. Alors, je me suis tue et j'ai fini par l'oublier un peu. Juste un peu. Parce qu'il est toujours quelque part dans ma tête…

Il y a une personne, cependant, qui ne demande pas mieux que d'en entendre parler : madame Rose. Madame Rose qui a réussi à me tirer les vers du nez, ce matin, et qui m'a tout fait raconter. Elle avait les yeux brillants et en a même oublié de se bercer, le temps de mon récit. Quand j'ai eu fini, elle a souri.

— Ça me rappelle beaucoup mon histoire, ce que tu me racontes là.

— Pourquoi ? Je ne trouve pas, moi. Vous êtes tombée amoureuse de votre mari quand vous étiez à l'école primaire. Ça n'a rien à voir avec moi !

— Oui, mais pour lui, c'est venu beaucoup plus tard. Même le jour de mon anniversaire, quand je l'ai presque forcé à venir avec moi sur la plage, on ne peut pas dire que je l'intéressais beaucoup. Il me prenait plutôt pour une écervelée ! Mais peu à peu... tu sais, ce que je te disais, pour les étincelles... Que l'amour, ce n'est pas toujours le coup de foudre... que la plupart du temps, c'est plusieurs petites étincelles qui finissent par allumer le feu... Eh bien, pour Georges, ça s'est passé comme ça. Au début, il ne me voyait même pas. Puis, à force de passer du temps avec moi, il a fini par tomber amoureux. Heureusement ! Moi, je l'aimais déjà depuis des années !

— Justement ! Je n'aime pas Benjamin depuis des années !

— Mais peut-être que lui…

L'idée est tellement saugrenue que j'éclate de rire.

— Oh non ! Ça, c'est sûr ! Vous avez entendu Olivia : Benjamin et moi, on est complètement différents. Je gagerais n'importe quoi qu'il n'a jamais pensé que je pourrais sortir avec lui.

— Jamais jusqu'à dernièrement…

Il n'y a rien de plus énervant qu'une dame de quatre-vingts ans qui ne veut pas démordre de son idée.

— Benjamin n'est pas amoureux de moi. Un point c'est tout. Il m'a dit lui-même qu'il ne savait pas ce qui lui avait pris, qu'il voulait qu'on reste amis. C'est assez clair, non ?

Elle me fait un clin d'œil.

— Tu crois qu'il disait la vérité ? Toute la vérité, rien que la vérité ? D'après toi, est-ce qu'il t'aurait embrassée s'il ne t'avait pas trouvée au moins un peu de son goût ?

Bon, vu comme ça…

Devant mon silence, elle affiche un sourire triomphant.

— Tu diras ce que tu voudras, moi, je trouve que nos deux histoires se ressemblent beaucoup. Toi, tu ressembles à Georges. Et Benjamin, c'est moi. J'ai été patiente avec Georges, Benjamin sera patient avec toi. Il fait semblant que tu ne l'intéresses pas, mais attends un peu, tu verras…

J'en veux à madame Rose. Moi qui commençais à me faire à l'idée que ça ne marcherait jamais avec Benjamin, elle vient de planter un doute dans mon esprit. Et je sens qu'il ne se laissera pas chasser facilement, ce doute.

Je passe un autre après-midi à me bercer dans la chambre de Marguerite. Malgré le soleil resplendissant, je préfère m'enfermer dans une ancienne chambre de bébé, dans une chaise vieille de cinquante ans, plutôt que d'aller m'asseoir dehors… Je commence à devenir pas mal mémère. Il ne me manque que le sucre à la crème !

Je n'y peux rien, cette chaise m'attire comme un aimant. La chambre de Marguerite m'aide à réfléchir. Et Dieu sait si j'ai besoin de réfléchir, ces temps-ci. Qu'est-ce que je vais faire au sujet de Benjamin ? Est-ce que madame Rose pourrait avoir raison ? Est-ce qu'il pourrait vraiment m'aimer, au moins un peu ? Pourtant, il avait l'air tellement sincère, hier, en disant qu'il regrettait de m'avoir embrassée… Peut-être qu'il le regrette vraiment, mais seulement parce que je n'ai pas répondu à son baiser ? Ce qu'il regrette, c'est peut-être ma réaction, pas son geste lui-même ? Peut-être qu'il avait vraiment envie de m'embrasser ? Autant que moi, j'ai envie de l'embrasser maintenant… Je n'arrête pas de penser à ses lèvres sur les miennes et ça me rend folle.

À force de réfléchir et de chercher des solutions, je sens venir un mal de tête. Je vais peut-être finir mon après-midi dehors, finalement.

Justement, Olivia semble avoir eu la même idée. Par la fenêtre de la chambre, je la vois sortir de la maison de madame Angélique et fermer doucement la porte. En temps normal, nous nous serions retrouvées toutes les deux sur la plage pour jaser de tout et de rien, comme nous en avons pris l'habitude, mais là… Là, avec la façon dont elle m'a traitée, l'air de me prendre pour une allumeuse sans me donner la moindre chance de me défendre, je n'avais pas l'intention de « jaser » avec elle. Sauf que de la voir me donne un coup de fouet. J'en ai assez qu'elle me prenne pour ce que je ne suis pas. Assez qu'elle me juge. Moi qui m'étais juré de ne plus jamais lui adresser la parole de ma vie, je change brusquement d'idée. Je la croyais mon amie, elle m'a déçue. Pas question que je laisse passer ça comme si de rien n'était. Et puis, ça me ferait du bien de me défouler sur quelqu'un. Olivia part à la fin de l'été, je ne la verrai probablement plus jamais ensuite, alors, si elle m'en veut à mort, qu'est-ce que ça peut faire ?

Je me précipite hors de la chambre, dévale l'escalier à toute vitesse et sors sans prendre le temps de mettre mes sandales.

— Olivia !

Surprise, elle se retourne. Je la rejoins sur le trottoir, toujours nu-pieds. Elle me regarde en fronçant les sourcils.

— Ça va, Alissa ? Tu as l'air bizarre.

— Ah, parce que maintenant, tu t'inquiètes de comment je vais ? Tu t'es posé moins de questions avant de me traiter d'allumeuse !

Là, au moins, j'ai la satisfaction de la voir mal à l'aise.

— J'y suis peut-être allée un peu fort…

— Peut-être ? Un peu ? Tu me fais rire ! En tout cas, tu vas être contente, parce que Benjamin n'est pas du tout amoureux de moi ! Et tu veux savoir le plus drôle ? C'est moi qui suis amoureuse de lui ! Elle est bonne hein ? Tu vois, je ne peux PAS avoir n'importe quel gars ! Le seul gars que je voudrais vraiment, il se contrefiche de moi ! Ça doit te faire plaisir, hein ?

Elle reste immobile, les yeux exorbités, la bouche entrouverte, un peu sonnée, je dirais. C'est vrai qu'elle ne devait pas s'attendre à une pareille explosion. De mon côté, mon accès de colère ne m'a pas fait de bien du tout. Peut-être parce qu'Olivia n'a pas réagi comme je m'y attendais. J'aurais voulu qu'elle réponde à mon attaque pour que je réplique encore plus fort, pour que je me libère de toute cette tension qui m'habite… Mais non, elle reste là sans bouger, à encaisser le coup. Je lui en veux encore plus.

Comme elle ne semble pas du tout disposée à me répondre, je tourne les talons et commence à remonter l'escalier, complètement survoltée.

— Alissa… attends.

J'aboie un « Quoi ? » tout ce qu'il y a de plus bête. Rien pour l'encourager à continuer, mais elle poursuit quand même :

— Tu l'aimes pour vrai ?

— Ça ne devrait pas tellement te surprendre, toi qui le considères comme la huitième merveille du monde !

— Ça ne me surprend pas que tu l'aimes, ce qui me surprend, c'est que tu l'admettes.

Là, elle m'en bouche un coin. Tellement que je sens ma colère retomber un peu. Je hausse les épaules.

— Je ne l'ai pas admis devant grand-monde, je dois dire. Je l'ai dit seulement à toi, ma mère et madame Rose.

— Et à lui ? Il le sait, lui ?

— Es-tu folle ? Jamais de la vie ! Il ne veut rien savoir de moi ! Il me l'a dit lui-même !

Elle hésite, se mord les lèvres, puis finit par laisser échapper :

— Peut-être que tu ne devrais pas le croire…

Mon cœur fait trois pirouettes.

— Quoi, il t'en a parlé ?

— Non. Pas vraiment. Il ne m'a jamais dit au juste ce qu'il pense de toi ou ce qu'il ressent, mais… il prononce souvent ton nom. Il m'a répété plusieurs fois que tu n'étais pas du tout comme il avait cru. Et quand il parle de toi…

Elle s'arrête là, alors que je suis sur le bord d'exploser. Je crie presque :

— Quoi ? ? Qu'est-ce qu'il y a quand il parle de moi ?

Elle baisse la tête deux secondes, puis la relève et me regarde dans les yeux.

— Je ne sais pas comment t'expliquer. Disons qu'il ne dit pas « Alissa » de la même façon qu'il dit « Olivia », ou « Sylvain », ou « Mathieu ». Il a… il a comme un sourire dans les yeux à chaque fois. Et… je ne sais pas… on dirait que sa voix est plus douce quand il prononce ton nom.

C'est le plus beau compliment qu'on m'ait jamais fait. Je me sens ramollir.

Olivia se balance d'un pied sur l'autre et finit par me confier :

— Écoute, il faut vraiment que j'y aille, madame Angélique m'a demandé d'aller chercher du pain au dépanneur, mais... Tu sais, ce que je t'ai dit l'autre jour ? Si tu fais du mal à Benjamin, je t'en voudrai toute ma vie. Mais si tu l'aimes vraiment, si tu es prête à courir le risque, fonce. Il ne m'a jamais dit qu'il t'aimait. Mais il n'a pas dit qu'il ne t'aimait pas non plus. Le pire qui puisse t'arriver...

— ... c'est qu'il me dise non, je sais.

— Ou qu'il dise oui et que tu perdes tes amies. Il faudrait voir si tu es capable de vivre avec ça.

D'après ce que je peux comprendre, Olivia a toujours une bien piètre opinion de moi. Je ne peux pas la blâmer, vu la façon dont j'ai réagi au baiser de Benjamin.

Avant que j'aie eu le temps de faire la moindre remarque sur son dernier commentaire, elle me tourne le dos et s'éloigne de son pas décidé, comme si elle regrettait déjà d'avoir trop parlé.

Chapitre 22

Une autre soirée avec les filles. Une autre soirée à rire, à raconter les derniers potins, à faire comme si j'étais parfaitement heureuse. Elles croient toutes que l'histoire de Benjamin, c'est du passé, que j'ai perdu la tête momentanément, le temps de fabriquer un cadeau à ma mère, puis que j'ai retrouvé mes esprits et que j'ai cessé de le voir.

Elles sont complètement dans le champ. Je le vois tout le temps, même si je ne l'ai pas eu devant les yeux depuis une semaine. Il est dans ma tête en permanence.

Je n'en peux plus de faire semblant.

Je les interromps en plein éclat de rire.

— Les filles, il faut que je vous dise quelque chose.

Kim me regarde avec un sourire en coin.

— Seigneur, Alissa, tu es bien sérieuse tout à coup !

— C'est parce que *c'est* sérieux.

J'hésite. Dira, dira pas…

— Je suis amoureuse.

Un silence plane, puis Marie-Pier ajoute :

— De Benjamin.

Ce n'est pas une question. C'est une simple constatation. Comme si elle le savait depuis le début et qu'elle attendait juste que je me décide à l'annoncer. J'avale ma salive et fais signe que oui. Joanie me dévisage d'un air horrifié.

— Benjamin Côté ? Encore ? C'est une blague ?

Je sens que je vais devenir agressive.

— Non, ce n'est pas une blague. Tu ne le connais pas, tu ne sais pas quel genre de gars il est…

— Peut-être, mais j'en ai une bonne idée !

— Justement, non. Tu juges sans savoir. D'accord, il n'est pas super populaire, il n'a rien d'un athlète non plus, et il ne parle pas souvent, mais quand on le connaît… c'est le gars le plus intéressant du monde.

Pas convaincue, elle grimace.

— Je me demande ce que tu lui trouves…

— Tu n'as vraiment rien compris ! Je viens de te dire que tu ne le connais pas !

Je vois rouge. J'en ai assez de répéter tout le temps que les gens ne connaissent pas le vrai Benjamin. Assez d'essayer de me justifier et de les convaincre. Maintenant que j'ai cessé de me battre contre moi-même, je n'ai vraiment pas envie de me battre contre les autres.

Marie-Pier décide d'intervenir avant que les choses s'enveniment.

— Ça va, Ali, ne monte pas sur tes grands chevaux… C'est juste que, tu comprends… ça nous donne un choc. Mais d'une certaine façon, ça ne me surprend pas.

Joanie a les yeux ronds.

— Ah non ? Ça ne te surprend pas ? Moi, franchement, je n'en reviens pas ! Avec tous les gars qui te tournent autour, Ali, il fallait que tu choisisses celui-là !

— Je ne l'ai pas *choisi* ! Penses-tu qu'on choisit de qui on tombe amoureux ?

Elle hausse les épaules, l'air de me prendre pour une illuminée. Elle n'a sûrement jamais été amoureuse pour vrai, cette fille-là.

Kim, qui n'a encore rien dit, me fait un grand sourire.

— Est-ce qu'il le sait, que tu l'aimes ?

— Non.

— Tu vas le lui dire quand ?

— Je ne sais pas. Je ne sais pas quand, je ne sais pas comment, et je ne sais surtout pas ce qu'il va en penser.

Joanie sourit à son tour.

— Si j'étais toi, je ne m'en ferais pas trop avec ça. Il n'a jamais eu de blonde, ça me surprendrait qu'il dise non à la première fille qui s'intéresse à lui…

Non mais, est-ce qu'elle va se la fermer ? Quand on ne peut pas dire autre chose que des niaiseries, on se tait ! Je serre la mâchoire, le temps de ravaler le commentaire qui me monte aux lèvres, puis je demande :

— Qu'est-ce qui te dit que je suis la première ? Et qu'est-ce qui te dit qu'il va vouloir de moi ?

Marie-Pier fronce les sourcils.

— Voyons, Ali, tu n'as jamais douté de toi comme ça ! Tu dois vraiment l'aimer, ce gars-là !

Je soupire.

— Exactement. Je l'aime vraiment, ce gars-là.

Plus personne n'ose dire un mot. Je décide alors de plonger.

— Parlant de Benjamin… Si ça vous tente… et si vous n'avez rien à faire en fin de semaine…

Je sors de chez Joanie en dansant presque, mais plus j'avance, plus mon pas s'alourdit. En arrivant chez Benjamin, je me traîne les pieds. Je ne suis pas certaine du tout que c'est une bonne idée de venir ici. Qu'est-ce qui m'attend ? Est-ce que je vais repartir en dansant toujours ou le cœur encore en morceaux ? Malheureusement, il est trop tard pour reculer.

Je frappe à la porte, espérant presque que personne ne viendra me répondre. Mais elle s'ouvre… et sur Benjamin, en plus.

— Salut, Benjamin.

— Salut.

Son sourire me réchauffe. Olivia aurait-elle raison ? Je n'ai jamais vu Benjamin sourire comme ça à une fille. À qui que ce soit, en fait. C'est décidé : je lui parle de véranda, et tout de suite après, j'enchaîne sur la question qui me torture jour et nuit. Il faut qu'il sache que je l'aime. Et il faut que je sache si lui m'aime.

— Je voulais juste te dire que j'ai trouvé d'autres bénévoles pour la véranda. Marie-Pier, Joanie et Kim vont venir, leurs chums aussi, probablement. On va être une dizaine…

Son sourire s'efface aussitôt. Qu'est-ce que j'ai dit encore ?

— Quoi, qu'est-ce qu'il y a ?

— J'aurais préféré que tu me demandes ce que j'en pensais avant.

La bouffée d'espoir qui m'avait envahie il y a trente secondes laisse soudain la place à un froid glacial. Plus question maintenant de me lancer dans les grandes déclarations. Je me sens soudain très loin de lui. Moi qui espérais que ma nouvelle lui ferait plaisir…

— Je comprends que tu ne sois pas tellement à l'aise avec eux, mais ça ira plus vite si on est plus nombreux, non ?

— Pas nécessairement. Des fois, quand il y a trop de monde, ça ralentit plus qu'autre chose. Si chacun commence à donner son opinion et à vouloir faire à sa tête…

— Écoute, on ne connaît rien là-dedans, ni moi ni les autres. C'est toi l'expert. Tu nous diras quoi faire et on te suivra, d'accord ?

— Ouais, on verra... De toute façon, tu leur en as déjà parlé, il est un peu tard pour discuter, non ? Bon, excuse-moi, je sortais, justement.

Le moins qu'on puisse dire, c'est qu'il ne semble pas convaincu. Je reste là, les bras ballants, pendant qu'il me contourne comme si j'étais un vulgaire poteau et s'en va sans autre forme de procès.

J'ai déjà eu des querelles d'amoureux avec mes anciens chums, mais jamais je n'ai eu cette sensation de vide en les voyant partir. Jamais je n'ai senti que tout s'écroulait autour de moi alors que je restais toute seule à les regarder s'éloigner. C'est donc ça, l'amour ? Une impression qu'on n'existe plus dès que l'autre s'en va ? Où sont donc passés les feux d'artifice, le bonheur à l'état pur, les petits nuages roses que tous les romans détaillent en long et en large ?

J'avais raison, ce n'était pas une bonne idée de venir ici.

Samedi matin, sept heures trente. Madame Rose pourra se vanter d'être la seule personne au monde à m'avoir fait lever si tôt, un jour de congé, pour aller me faire suer au soleil et perdre ma fin de semaine à me débattre avec un marteau.

La météo prévoit qu'aujourd'hui sera « l'une des plus chaudes journées de l'été ». Un soleil à tout casser, pas le moindre nuage, un vent inexistant... J'ai l'impression que Joanie et Kim vont briller par leur absence. Pour Marie-Pier, j'ai quand même espoir. Il reste que je leur avais demandé d'être là à sept heures trente, et personne n'est arrivé encore.

Personne de ma gang, j'entends. Benjamin, son père et Olivia m'attendent. Benjamin sourit en me voyant arriver, mais son sourire a quelque chose d'un peu forcé. Comme s'il se disait que tant qu'à passer la journée avec moi, aussi bien faire semblant que tout va pour le mieux entre nous. Je décide de lui rendre la pareille. Mais attention : dès que cette fichue véranda sera terminée, je ne veux plus jamais croiser le chemin de Benjamin Côté. J'ai décidé d'oublier les commentaires optimistes d'Olivia. Mieux vaut se fier sur les réactions du principal intéressé, et pour l'instant, elles ne sont pas trop trop encourageantes. Tout ce que je demande, maintenant, c'est de réussir à passer au travers de ma fin de semaine avec Benjamin sans trop de dégâts. Ensuite, je vais mettre toute mon énergie à ne plus penser à lui et avec le temps, mes sentiments finiront bien par disparaître.

Ha ! Ha !

— Salut, Alissa ! En forme ?

— Oui, j'ai hâte de commencer ! Mais je ne sais pas si les autres vont venir…

— Tant pis. Au moins, tu es là, toi.

— Et comment ! C'est quand même mon idée, je te rappelle !

François, le père de Benjamin, me jette un coup d'œil et remarque :

— Je ne suis pas certain que tu aies choisi les meilleurs vêtements pour le genre de travail qu'on va faire, Alissa. Tu vas crever de chaleur là-dedans !

— Oh non, ça va aller. Je… je suis plutôt sensible au soleil, j'essaie de me protéger.

Olivia, pas dupe, me regarde d'un air moqueur. D'accord, un bermuda moulant en jean et un chandail à manches trois quarts ne sont peut-être pas les vêtements les plus appropriés, mais la partie superficielle qui me reste a refusé que je me présente devant Benjamin avec le short de coton gris et la vieille camisole que ma mère m'a suggéré de porter.

Olivia n'a pas les mêmes scrupules, elle. Elle porte un short kaki trop grand pour elle et une camisole bleue qui jurent affreusement. Pourtant, son sourire en coin me donne l'impression que c'est moi, l'épouvantail.

Monsieur Côté hausse les épaules.

— Comme tu veux. Alors, Benjamin, on commence par quoi ?

Benjamin le regarde d'un air étonné. Son père sourit.

— C'est toi le contremaître, aujourd'hui. Vas-y, je t'écoute.

Pendant une fraction de seconde, Benjamin a l'air paniqué. Visiblement, c'est la première fois que son père le laisse prendre les rênes d'un projet aussi important et il ne s'y attendait pas. Puis il se reprend et j'assiste à une métamorphose totale du gars timide à l'allure insécure en chef d'équipe déterminé et sûr de lui.

Si Joanie le voyait maintenant, c'est clair qu'elle comprendrait tout. Mais elle n'est pas là. Ni elle ni les autres. J'ai honte de mes amis. Je n'ose pas regarder Olivia. Elle doit jubiler, elle qui n'a jamais fait de mystère du mépris que ma gang lui inspire…

Pour compenser, je me jure de travailler dix fois plus fort.

questions. Sous la poigne de fer de notre contremaître, la fameuse véranda se construit à une vitesse étonnante.

Nous arrêtons à peine une demi-heure pour engloutir des litres de jus et dévorer les sandwiches que nous ont préparés les employés du centre. D'ailleurs, ma mère vient de temps en temps jeter un coup d'œil au chantier. Chaque fois, je sens qu'elle se retient de toutes ses forces pour ne pas me faire remarquer que je sue à grosses gouttes. Je me jure que je ne viendrai pas en jeans demain, même si je dois être affreuse. De toute façon, Benjamin ne me regarde même pas. Il discute avec les gars, rit avec Kim, mais ne m'a pas dit un seul mot depuis que le reste de ma gang est arrivé. Ça me fait vraiment plaisir qu'il s'intègre comme ça, mais j'aimerais qu'il se rappelle que j'existe, quand même…

Justement, au moment où nous nous levons de table pour nous remettre au travail, il vient me voir.

— Ça va, Alissa ?

— Très bien ! Ça avance vite, non ?

— Oui, très. Tu n'as pas trop chaud ?

Je grimace.

— C'était complètement stupide de m'habiller comme ça, hein ?

Il sourit.

— Oui, complètement stupide.

Sans y penser, je lui envoie un coup de poing sur l'épaule. C'est le genre de geste que je me permets avec les chums de mes amies, mais ça fait drôle de le toucher, lui. Du coup, j'ai encore plus chaud.

Il éclate de rire.

—Bon, on y retourne, madame la carte de mode ?

Je le suis en me disant que je ne l'ai jamais vu d'aussi bonne humeur. Je ne l'ai jamais vu aussi ouvert, aussi expressif, aussi... séduisant. Il est dans son élément et ça paraît.

Merde... plus ça va, plus je l'aime.

Le vent n'a même pas daigné se lever. Je commence à avoir hâte que la journée s'achève. J'ai déjà tous les muscles du corps en compote et je n'ose pas imaginer dans quel état je me lèverai demain matin.

Joanie, qui plante ses clous à ma droite, me dit soudain :

— Je ne pensais pas qu'il était comme ça.

— Qui ?

Comme si je ne l'avais pas dans la tête à longueur de journée…

— Benjamin. D'habitude, il a l'air tellement sérieux, tellement…

— Plate, tu peux le dire.

— Oui, bon, en tout cas…

Trois coups de marteau, puis elle ajoute :

— Aujourd'hui, je ne le trouve pas plate du tout.

Je souris. À ma gauche, Olivia lève les yeux et me sourit. Une bouffée d'espoir m'envahit. Encore. Depuis que Benjamin m'a dit qu'il voulait qu'on reste simplement amis, mes sentiments jouent aux montagnes russes. Espoir, découragement, espoir, découragement… J'en ai plus qu'assez ! Je voudrais tellement que ça s'arrête ! Mais je ne peux pas y faire grand-chose… mon cœur se fiche de ma tête, et vice-versa.

Mon incorrigible cœur a donc décidé qu'il y a des chances que mon histoire se termine bien, après tout, avec la fin que j'espère, dans les bras de Benjamin… si je peux me décider à lui parler. Ça, c'est ma tête qui l'ajoute. Je sais, je sais, j'ai dit que je ne voulais plus jamais croiser son chemin une fois la véranda terminée, mais à passer toute la journée comme ça avec lui dans les parages, je me rends compte que je ne pourrais pas l'éviter une semaine sans qu'il me manque. Ce ne sera pas la première ni la dernière fois que je change d'idée !

Il reste à trouver LE bon moment pour lui parler. Sûrement pas maintenant, avec tout ce monde autour et moi qui pue la sueur à plein nez. Alors, quand ? Tout à coup, je ressens une certaine sympathie pour tous les gars qui m'ont approchée depuis que j'ai l'âge d'avoir un chum. Je n'ai jamais eu à faire les premiers pas, ils l'ont toujours fait à ma place. Je me rends compte que ça n'a pas dû être facile pour eux. En tout cas, pour moi, c'est un véritable supplice.

Joanie se redresse, s'essuie le front.

— Seigneur, je crève de chaleur !

Puis, plus fort :

— Franchement, Benjamin, tu l'as choisie, ta journée ! Je suis en train de mourir, moi !

— Bois de l'eau !

— Bois de l'eau, bois de l'eau… Il ne fera pas moins chaud ! Vous autres, les gars, vous pouvez au moins enlever vos t-shirts ! C'est dur d'être une fille, une journée pareille !

Sans la regarder, Maxime, son chum, rétorque :

— Rien ne t'empêche d'enlever ton t-shirt toi aussi, si l'envie t'en prend.

Joanie devient encore plus rouge, chose que je ne croyais pas possible, pendant que j'éclate de rire avec les autres. J'en profite pour jeter un coup d'œil à Benjamin. Les gars ont effectivement retiré leurs t-shirts et travaillent torse nu. Benjamin n'a rien à leur envier, côté muscles. Au contraire. Et son sourire est le plus beau.

Comment peut-on vivre à côté d'un gars pendant des années, le trouver complètement invisible pendant tout ce temps et se réveiller un matin avec le sentiment qu'il n'y a plus que lui qui compte ? Est-ce que quelqu'un peut m'expliquer ça ?

Lucas, Alex et Maxime sont tous plus grands, plus beaux et plus drôles que Benjamin… du moins au premier coup d'œil. Pourtant, je ne les vois même pas. Chaque fois que je lève les yeux, c'est lui que je cherche. C'est sa voix à lui que j'entends à travers celles des autres, son rire à lui qui me donne envie de rire aussi. Ce sont ses mains à lui qui me fascinent. Qui m'obsèdent, même.

Quand il me tourne le dos, parfois, je l'observe. Tant pis si les autres s'en aperçoivent. De toute façon, je ne peux pas m'en empêcher. J'ai besoin de le regarder. Des fois, j'ai tellement envie de me jeter sur lui que je serre mon marteau jusqu'à me faire mal.

Et je fais semblant de ne pas voir le sourire moqueur de Joanie, qui voit tout mais garde ses commentaires pour elle.

Il est presque six heures quand Benjamin se décide enfin à annoncer :

— Bon, c'est assez pour aujourd'hui !

Je suis tellement épuisée que j'ai besoin de m'asseoir quelques minutes avant de partir, le temps de trouver l'énergie de me rendre jusqu'à mon lit. En espérant que je pourrai d'abord me remettre debout…

Benjamin vient s'asseoir à côté de moi. C'est la première fois de la journée qu'on se retrouve seuls tous les deux. Son père nous a quittés plus tôt pour se rendre à la quincaillerie et Olivia est partie avec mes amies. Soit elles ont décidé de l'intégrer à la gang, soit elles ont conspiré pour forcer un tête-à-tête entre Benjamin et moi…

Ce serait peut-être le moment de dire à Benjamin les mots qui me hantent depuis son baiser, mais vu l'odeur que je dégage, je crois que j'aurais plus de chances si j'attendais demain… malgré mon short gris et ma vieille camisole. Et puis, je suis bien, là, avec lui à mes côtés. Il fait beau, je suis contente de moi, je n'ai pas envie de me casser la tête et de passer aux aveux, au risque de me faire répondre qu'il était très sérieux quand il disait qu'il voulait qu'on reste amis.

Profitons de ce moment de bonheur tranquille, toute seule avec le gars que j'aime et qui ne le sait pas, et attendons un peu avant de déclencher la tornade. Tornade de bonheur ou de désespoir, on le saura bien assez tôt.

Benjamin doit ressentir le même bien-être, lui aussi. Il rayonne. Je lui souris.

— Alors, tu es content de tes esclaves ?

— Très ! Je n'aurais jamais cru qu'on se rendrait aussi loin en une journée ! On va pouvoir finir demain. Tu crois que tes amis vont revenir ?

— J'en suis certaine. Ils étaient tellement enthousiastes !

— Oui, je n'aurais jamais cru ça…

— Franchement, moi non plus.

Le regard perdu vers la mer, j'avale une gorgée d'eau et dis :

— Madame Rose va être super contente. J'ai hâte de voir sa réaction. Ma mère va s'occuper de la soirée de demain, pour l'inauguration. Tu seras là ?

— Je ne manquerais pas ça pour tout l'or du monde.

Il se lève.

— Bon, moi, j'y vais. Tu ne resteras pas là toute la nuit, quand même ?

— Peut-être. Je n'ai plus la force de me lever.

Il éclate de rire.

— Fatiguée ?

— Crevée. À moitié morte. Je crois que je pourrais m'endormir ici.

— Ce n'est pas une bonne idée. Viens.

Il me tend la main. Mon cœur arrête de battre pendant une seconde. Qu'est-ce que ça veut dire, au juste, cette main tendue ? Est-ce qu'il veut seulement m'aider à me relever ou est-ce que je devrais chercher une autre signification ? Quand je serai debout, gardera-t-il ma main dans la sienne, me prendra-t-il dans ses bras ou me laissera-t-il partir, tout simplement ? J'ai une envie folle de le toucher et en même temps, j'ai peur… Finalement, je prends sa main et laisse Benjamin me remettre sur mes pieds.

— Tiens, le plus dur est fait. Tu n'habites pas très loin, dans cinq minutes tu seras rendue. À demain !

Je le regarde s'éloigner, le cœur en miettes. Je m'en veux tellement de m'être monté tout un scénario, d'avoir vu le début d'une histoire d'amour dans ce geste banal… Quelle imbécile !

Olivia est dans les patates. Benjamin n'est pas amoureux de moi. Sinon, ça aurait été tellement facile de me prendre dans ses bras, j'y étais presque déjà… Mais bon, c'est vrai qu'il a déjà essayé une fois et s'est fait recevoir plutôt froidement.

Et c'est vrai que je pue.

Ohhhhh, que le réveil a été difficile ! Avant même d'ouvrir les yeux, j'aurais souhaité me rendormir. Tous les muscles de mon corps me faisaient mal. Tous, sans exception ! Seule la pensée que Benjamin serait là et m'attendrait m'a fait me lever.

Heureusement, une longue douche chaude a un peu (mais si peu !) arrangé les choses. Je suis prête à reprendre le marteau en arrivant sur le chantier. Disons que c'est mon orgueil qui me fait tenir debout.

Le même orgueil a cependant fléchi devant la perspective de passer une autre journée à suer comme un marathonien. Il y a des limites à vouloir bien paraître. Cette fois, je suis habillée en conséquence. Je suis affreuse, mais j'aurai moins chaud. Olivia me lance d'ailleurs un autre de ses sourires moqueurs. C'est à se demander si elle sait sourire autrement.

— Tiens, je n'aurais jamais pensé que tu avais ce genre de vêtements dans ton garde-robe !

Ça n'a rien de méchant, je sais qu'elle ne fait que me taquiner… et peut-être prendre une petite revanche pour les fois où je l'ai attaquée au sujet de son apparence, mais c'est de bonne guerre. Je lui tire la langue et elle rit.

Au moins, j'ai la satisfaction de voir qu'elle ne bouge pas plus vite que moi, ce matin.

Benjamin, lui, n'a pas l'air de souffrir le moins du monde. Je commence à me demander s'il est vraiment humain.

— Salut, Alissa ! Bien dormi ?

— Comme un bébé ! Mais j'ai mal partout !

— Oui, c'est ce qui arrive quand on n'est pas habitué… On commence tout de suite ou on attend les autres ?

— On commence.

Il est de bonne humeur, je n'ose pas lui avouer que je doute de voir « les autres » se pointer aujourd'hui s'ils sont aussi mal en point que moi.

Un quart d'heure plus tard, ils arrivent pourtant, sourire aux lèvres. Mon sourire à moi est sûrement le plus grand de tous. On bouge un peu plus lentement qu'hier, en grimaçant quand un muscle proteste trop fort, mais on est tous là.

Au milieu de l'avant-midi, Marie-Pier vient travailler à côté de moi. Au bout d'une minute, elle me demande tout bas :

— Et puis, ça avance ?

— Oh oui, on achève, c'est merveilleux !

— Je ne parle pas de la véranda, espèce de nouille ! Je parle de Benjamin !

— Oh, ça… Non, ça n'avance pas du tout.

— Lui as-tu parlé, au moins ?

— Pas encore.

— Qu'est-ce que tu attends ? Qu'il te tombe dans les bras ?

— Non, mais c'est difficile ! Je ne sais pas quoi lui dire !

— Facile : Benjamin, je suis complètement folle de toi, je te vois dans ma soupe et je vais mourir si tu ne m'embrasses pas tout de suite !

— Chut ! Parle moins fort, voyons !

Paniquée, je regarde autour de moi pour m'assurer que Benjamin ne l'a pas entendue. Puis je murmure :

— Je vais lui parler aujourd'hui. Je ne sais pas quand, je ne sais pas comment, mais je ne passerai pas une journée de plus sans avoir réglé ça.

Marie-Pier me sourit et nous continuons à travailler en silence.

Maintenant que mon amie est au courant, plus question de me défiler. J'ai soudain l'impression de porter le monde sur mes épaules.

Nous sommes tous debout sur la véranda, sur « notre » véranda, à admirer la vue qu'auront les pensionnaires. Le ciel est d'un bleu éblouissant, la mer brille, des enfants courent sur la plage. Personne ne parle. Quelque chose plane. Un sentiment d'accomplissement, peut-être ? La certitude d'avoir fait quelque chose de bien, sans rien attendre en retour ? Je ne sais pas. Mais tout le monde a l'air content.

Je vais exploser. De fierté, de soulagement. De fatigue et de douleur, aussi. La véranda est terminée ! Et elle dépasse toutes mes attentes.

Il n'y a pas que la fierté et la douleur. Je vais surtout exploser de nervosité, je pense... La journée achève et je n'ai pas encore été une seconde toute seule avec Benjamin. J'aurais dû lui parler en arrivant, quand il n'y avait qu'Olivia dans les parages. Ça aurait été plus facile de l'entraîner à l'écart...

Maintenant, c'est le temps ou jamais de foncer, si je veux tenir ma promesse. Ce n'est pas ce soir, quand toutes les personnes âgées du centre d'accueil (et ma mère !) seront là, que je ferai ma grande déclaration !

Oui, mais… qu'est-ce que je vais lui dire, au juste ? Et comment ? « Benjamin, je t'aime », il me semble que c'est trop simple, un peu raide aussi. Il faudrait que j'aborde le sujet sans trop y paraître, le temps de le sonder un peu. Et s'il se mettait à rire ? S'il ne me prenait pas au sérieux ? S'il me disait qu'il ne pourrait jamais sortir avec une fille comme moi ? Ou, pire encore, s'il m'annonçait qu'il s'est fait une blonde depuis le fameux soir où il m'a embrassée ? Oh, mon Dieu, je n'y survivrais pas !

Il ne faut surtout pas que je commence à imaginer des scénarios comme ceux-là, sinon je ne bougerai jamais.

C'est la première fois de ma vie que je doute autant. L'amour a toujours été facile, avant. Peut-être parce que ce n'était pas vraiment de l'amour… Je ne me suis jamais retrouvée dans cette position d'incertitude. Je donnerais cher pour que mon problème se règle sans moi, sans que j'aie à ouvrir la bouche ou à bouger le petit doigt.

Et si je n'avais pas besoin de parler ? Tant qu'à dire n'importe quoi, à bafouiller et à avoir l'air complètement ridicule, si je trouvais un autre moyen de lui faire comprendre ce que je ressens pour lui ?

Benjamin se tient debout à l'arrière de la véranda, appuyé à l'un des poteaux de coin. Je vais le rejoindre, m'adosse au mur à côté de lui. Les autres, assis sur les marches, nous tournent le dos. Je tremble, et ce n'est pas seulement de fatigue.

— C'est merveilleux, Benjamin. Merci.

— De rien. C'était ton idée.

— Ce n'est pas tellement difficile d'avoir des idées. Tu as plus de mérite que moi, tu as travaillé beaucoup plus fort.

— Tu n'as pas chômé toi non plus, je te ferai remarquer. Ça m'a fait vraiment plaisir de pouvoir t'aider.

Je ne sais pas trop pourquoi, mais je sens que ce qu'il veut dire, c'est qu'il a aimé travailler *avec moi*. Réaliser un projet *avec moi*. Je me rends compte que jamais, auparavant, je n'ai vraiment accompli quelque chose avec un de mes chums. Toutes nos activités, toutes nos discussions tournaient autour de mon copain du moment et de moi. Jamais je n'ai essayé de voir en dehors de mon petit univers, jamais personne ne m'a incitée à m'investir autant dans un projet qui voulait dire quelque chose.

Alors qu'on peut faire tellement quand on s'y met à deux...

Ce n'est pas un hasard si j'ai changé cet été, ce même été où Benjamin est entré dans ma vie. Ce n'est pas juste parce que j'ai vieilli, parce que j'ai travaillé chez une personne âgée, parce qu'Olivia m'a ouvert les yeux sur la futilité de ma relation avec Jonathan. C'est à cause de Benjamin que je ne suis plus la même. À vivre près de lui, dans son atelier, j'ai changé. Doucement, sans m'en rendre compte, je suis devenue meilleure. Sans savoir que je l'aimais déjà, sans savoir si lui m'aimait au moins un peu, j'ai délaissé un peu mon côté « belle fille qui ne pense qu'à elle » pour m'imprégner de sa simplicité, sa droiture, sa force. Personne, jamais, n'a eu ce genre d'influence sur moi.

À partir de là, tout devient simple. Comme si c'était le geste le plus naturel du monde, je prends sa main. Mes doigts s'enroulent autour des siens, nos paumes se touchent et j'arrête de respirer.

Sans tourner la tête, je le regarde du coin de l'œil. Il ne bouge pas. Je crois qu'il a arrêté de respirer lui aussi. Puis il sourit, juste un petit sourire en coin. Mais il a l'air... heureux. Surpris, mais surtout heureux. Il serre ma main, et mon cœur recommence à battre.

Je n'aurais jamais pensé qu'un geste banal comme celui-là pouvait être aussi troublant, aussi intime. Partout, à la télé, à la radio, dans les magazines, on parle de sexualité, on nous bombarde d'images presque indécentes, mais personne ne dit jamais un mot sur ce qu'on peut éprouver quand la personne qu'on aime nous prend par la main. Quand on sent battre sa vie entre nos doigts, quand on sent que toute notre âme tient dans cette main-là... quand on a l'impression qu'il ne peut rien nous arriver tant que ce lien ne sera pas brisé. Il a suffi que je prenne la main de Benjamin et qu'il réagisse comme il l'a fait pour que je me sente une autre personne. Pour que je me sente, en fait, la personne la plus importante de l'univers. La plus chanceuse, aussi.

Nous ne disons rien, mais nos doigts entremêlés se racontent un million de choses. J'avais raison : on n'a pas toujours besoin de parler pour se faire comprendre. J'ai tant cherché les mots parfaits, le moment idéal, et pourtant, tout ce qu'il fallait, c'était ce petit geste...

Devant nous, le reste de la gang se lève. Benjamin fait mine de retirer sa main, mais je la retiens. Moi qui, il n'y a pas deux mois, n'aurais jamais avoué lui avoir dit trois mots sur la plage, je voudrais à présent crier au monde entier que je l'aime. Que je suis fière de lui. Que je suis fière d'être avec lui. Et surtout, je veux qu'il le sache.

Personne n'a l'air surpris. Pourtant, je suis certaine qu'ils ont remarqué nos mains enlacées et nos épaules qui se touchent. Il faut croire qu'ils s'y attendaient, que ça semble naturel… Joanie me fait quand même un clin d'œil qui n'échappe à personne et Olivia a le sourire fendu jusqu'aux oreilles.

Marie-Pier annonce d'une voix fatiguée :

— Je ne sais pas pour vous autres, mais moi, je vais y aller… J'ai l'intention de passer au moins deux heures sous la douche !

Tout le monde renchérit sauf Benjamin, qui serre ma main un peu plus fort. Sans trop d'espoir, je demande :

— Vous allez venir à la soirée d'inauguration ?

De vagues « peut-être » et « je ne sais pas » me répondent. Je ne peux pas leur en vouloir. Moi-même, si ce n'était pas de madame Rose, je ne viendrais sûrement pas. C'est une chose de passer deux jours avec des jeunes de son âge à jouer du marteau; c'en est une autre de passer la soirée à se faire offrir du sucre à la crème… Ce n'est pas grave. L'important, c'est qu'ils aient été là pour bâtir la véranda. Et Benjamin sera là, lui, ce soir. C'est tout ce qui compte.

Mes amis disparaissent en moins de temps qu'il n'en faut pour le dire. Puis le père de Benjamin s'amène.

— Est-ce que tu reviens à la maison avec moi ?

Pas de doute, lui aussi a remarqué nos mains soudées et à quel point nous n'avons pas envie de nous lâcher tout de suite. Benjamin me jette un coup d'œil et répond :

— Non, je vais rentrer à pied. Merci, papa !

En essayant de ne pas trop laisser paraître à quel point j'ai hâte qu'il s'en aille, j'ajoute :

— Merci pour tout, monsieur Côté. Si vous n'aviez pas été là, ça n'aurait jamais marché, ce projet-là.

— Ça m'a fait vraiment plaisir, Alissa. C'est toujours rassurant de voir des jeunes de votre âge s'impliquer comme ça. Et tu peux m'appeler François ! Bon, à plus tard !

Je me retrouve seule avec Benjamin. Enfin.

Pendant quelques secondes, nous restons immobiles à fixer le camion de la quincaillerie qui s'éloigne. Puis je me tourne vers lui.

— C'est à l'autre bout du village, chez vous… Ça te fait loin pour marcher.

— Pas grave. Je ne suis pas pressé. Et toi ?

Je fais signe que non, puis je libère ma main pour passer les bras autour de son cou. Je l'attire vers moi, ferme les yeux, et comme il semble que je m'exprime mieux aujourd'hui sans utiliser des mots, je laisse mes lèvres parler d'une autre façon.

Chapitre 23

J'ai longtemps tourné et retourné la question dans ma tête, pour finalement décider qu'il valait mieux mettre madame Rose au courant avant son arrivée au centre d'accueil. Elle ne sait pas, pour la véranda. Au début, je lui ai fait croire qu'on allait à une soirée ordinaire, une petite veillée avec de la musique et un buffet froid. Elle a dû se demander pourquoi j'avais soudain envie de faire ce genre de sortie avec elle, en dehors de mes heures de travail en plus, mais elle n'a pas posé de questions. Elle avait peut-être peur que je change d'idée. Donc, j'avais l'intention de garder le secret jusqu'au bout, mais j'ai fini par avoir des doutes. On ne sait jamais, avec les personnes de cet âge-là : je ne voudrais pas que la surprise lui fasse faire une crise cardiaque…

Parlant de crise cardiaque, mon cœur à moi se porte très bien merci. J'aurais pu courir tout le long du chemin entre le centre d'accueil et ma maison. Les baisers de Benjamin et les mots qu'il a prononcés (« Il était temps que tu te décides, j'étais en train de devenir fou à attendre ») m'ont donné des ailes. Oubliée, la douleur. Envolée, la fatigue. D'ailleurs, ma mère, qui était assise dans la cuisine à mon arrivée, a tout deviné au premier coup d'œil. Elle m'a fait un grand sourire. Je lui en ai renvoyé un encore plus grand.

Donc, malgré le fait que j'ai des fourmis dans les jambes en pensant que je vais rejoindre Benjamin dans quelques minutes, je prends le temps de m'asseoir avec madame Rose pour la préparer à ce qu'elle va découvrir.

Avant même que je commence, elle déclare :

— Tu es bien jolie, aujourd'hui, Alissa. Es-tu allée chez la coiffeuse ?

— Non…

J'ai simplement lavé mes cheveux avant de les remonter en chignon lâche. Ça me va plutôt bien, je trouve. Ça me donne un air plus… femme. Plus sérieux que lorsque je les porte détachés, comme à mon habitude. J'ai aussi enfilé, par-dessus mon chandail préféré, une veste rose vif que j'ai trouvée dans le fond de mon garde-robe. Je ne l'avais pas mise depuis longtemps parce qu'elle me donnait ce fameux air « bonhomme de neige » que j'évitais à tout prix. Cependant, j'ai appris ma leçon : s'il fait chaud dans la journée, le soir, il vaut mieux se couvrir. Donc, une veste plus chaude, même si elle est moins moulante, fera parfaitement l'affaire. Et puis, le chemisier que je porte dessous est assez décolleté et près du corps pour compenser. Le résultat est plutôt satisfaisant, je trouve.

De toute façon, ce que je porte ou la façon dont j'ai attaché mes cheveux n'a rien à voir. Madame Rose me trouve jolie parce que je suis heureuse. Le bonheur a mis de l'éclat dans mes yeux. Ça se sent, ces choses-là. Ça se voit.

— Madame Rose, il faut que je vous dise... La soirée, ce n'est pas juste une veillée ordinaire. C'est pour une raison spéciale. Une inauguration, si on peut dire.

Je lui explique le projet qui m'est venu en tête après l'avoir entendue parler de sa plage. Je lui vante en long et en large le génie de Benjamin et la générosité de son père. Je lui parle de mes amis, qui ont travaillé dur toute la fin de semaine. Elle m'écoute avec de grands yeux, ouvrant la bouche de temps en temps comme pour dire quelque chose, mais sans qu'aucun son ne sorte.

Je crois que c'était vraiment une sage décision de le lui annoncer avant de partir.

À voir les larmes dans ses yeux, s'il avait fallu que je la laisse découvrir sa surprise sur place, on l'aurait retrouvée dans un lit d'hôpital, c'est sûr.

— Oh, Alissa… Tu es un ange. Vraiment. Tu es…

Moi aussi, je sens les larmes me monter aux yeux.

— Arrêtez, madame Rose, vous allez me faire pleurer.

Je me lève et la serre dans mes bras, ma petite madame Rose qui a pris une si grande place dans ma vie, ces derniers mois. Ma petite madame Rose que je quitterai vendredi prochain, après ma dernière semaine de travail…

— Vous allez me manquer, madame Rose.

— Je ne serai pas loin. Tu pourras toujours venir me visiter.

Et je réponds quelque chose que je n'aurais jamais cru possible au début de l'été :

— Oui, j'irai. Je vous le promets.

Ma mère, à mon grand bonheur, s'est offerte pour être notre chauffeur. À notre arrivée, il y a déjà quelques pensionnaires sur la véranda que les employés du centre d'accueil ont décorée avec des guirlandes et des ballons. Il y a de la musique qui joue en sourdine ; bon, peut-être pas le genre de musique que je choisirais pour un party, mais pas trop quétaine non plus. Un bon compromis.

De toute façon, la musique, je ne l'entends pas. Je viens d'apercevoir Benjamin près du poteau où j'ai pris sa main. Il me jette un de ces regards… comme si lui non plus ne voyait plus personne d'autre. Je voudrais courir le rejoindre, mais je ne peux pas laisser madame Rose toute seule, pas maintenant.

Encore une fois, elle a les yeux pleins d'eau, et un sourire à faire pleurer. Avant de perdre complètement le contrôle de moi-même, je la tire vers la véranda… sa véranda.

— Venez, il faut que je vous présente quelqu'un.

Benjamin nous regarde approcher en souriant. Je ne l'ai jamais trouvé aussi beau que ce soir, avec ses jeans et son chandail de coton ouaté noir. Le noir lui donne un petit air mystérieux, rebelle… J'adore ! Même si je sais qu'il n'y a pas moins rebelle que lui. Comme quoi il ne faut pas se fier aux apparences…

— Madame Rose, je vous présente Benjamin.

— Ah, c'est toi, le fameux Benjamin ! J'ai beaucoup entendu parler de toi !

— En bien, j'espère ?

— Hmm … dernièrement, oui.

Les personnes âgées sont parfois un peu trop franches… Heureusement, Benjamin rit de la remarque. Et il a toujours cette façon de me regarder…

Madame Rose vient d'apercevoir madame Angélique et nous quitte aussitôt. Spontanément, nos mains, à Benjamin et moi, s'enlacent. Olivia, qui est arrivée avec madame Angélique, vient nous rejoindre.

— Vous avez l'air de bonne humeur, vous deux.

Elle-même semble très heureuse de la tournure des événements. J'ai une soudaine envie de la serrer dans mes bras. Je me retiens, pourtant. Je ne suis pas certaine qu'Olivia apprécierait ce genre d'effusion. À la place, je souris et dis :

— Plutôt, oui. Et c'est beaucoup grâce à toi.

Elle fronce les sourcils. Je lui fais un clin d'œil.

— Qui c'est qui m'a traînée à l'atelier de Benjamin, un certain soir ?… Je t'en dois une, Olivia.

Tout à coup, je me rends compte que dans dix jours, elle repartira pour Lévis. Olivia, mon amie de l'été, que j'ai tant détestée au début, va terriblement me manquer.

Tant pis si ça la met mal à l'aise : je lâche la main de Benjamin pour prendre sa cousine dans mes bras.

— Merci. Mon été n'aurait pas été le même sans toi.

Elle me rend maladroitement mon étreinte, sous le regard amusé de Benjamin.

— Arrête, Ali, tu vas finir par me faire brailler ! Et c'est réciproque, si tu veux savoir… Tiens, voilà le reste de la gang qui arrive.

Encore une fois, ils sont tous venus. Je lâche mon amie, reprends la main de Benjamin. Mon bonheur est complet. Total.

Parfait.

— Benjamin ?

— Oui ?

— Tu sais, l'autre soir, quand tu disais que tu aimerais dormir une nuit sur la plage… Ce soir, ce serait bien, non ? Regarde, le ciel est plein d'étoiles.

Il me regarde avec un drôle d'air. Un air inquiet, je dirais.

— Qu'est-ce que… Qu'est-ce que tu veux dire exactement ?

— On pourrait y aller tous les deux. J'aimerais ça, moi.

Un éclair lui passe dans les yeux, quelque chose qui ressemble à de la panique. Je me rends compte que je suis probablement sa première blonde et qu'il a compris ma proposition de travers. Je l'embrasse sur la joue.

— Ne va pas te faire des idées, on apporterait deux sacs de couchage ! Je veux juste dormir à côté de toi. Et regarder les étoiles avec toi. Et parler, si ça te tente… Sinon, pas de problème, je ne dirai pas un mot. Tant qu'on est ensemble…

Tout son corps se détend. D'un ton où perce le soulagement, il demande :

— Tu penses que ta mère serait d'accord ?

Je lui ai déjà raconté la phobie de ma mère. Mais là, elle n'aurait franchement aucune raison de s'inquiéter.

— Je crois que oui. Ça va mieux, elle et moi, depuis un bout de temps. J'essaierais d'être convaincante…

— En tout cas, moi, tu m'as convaincu. C'est même génial, ton idée. Tu as raison, ce serait une nuit parfaite !

Oh oui ! elle serait parfaite, avec Benjamin endormi à côté de moi…

Je crois que madame Rose a senti quelque chose. À peine une demi-heure après ma proposition à Benjamin, elle vient nous rejoindre.

— Je suis fatiguée. Je crois que j'aimerais rentrer, maintenant.

Fatiguée, mon œil ! Elle a le teint rose et les yeux pétillants. En fait, je ne l'ai jamais vue aussi en forme.

— Déjà ? Vous êtes sûre que vous voulez partir maintenant ? On n'a même pas servi le buffet !

— Oui. Je vais passer beaucoup de temps sur cette véranda d'ici quelques semaines, de toute façon. Et je te rappelle que tu travailles demain, alors il ne faudrait pas te coucher trop tard…

Elle me fait un clin d'œil. J'éclate de rire.

— D'accord. Je vais chercher ma mère.

Notre départ a sonné la fin de la soirée pour le reste de ma gang aussi. Marie-Pier nous a proposé, à Benjamin et moi, de rejoindre les autres pour un feu improvisé sur la plage. J'ai répondu que c'était une excellente idée, mais que ce serait pour une autre fois. Je suis contente que mes amis aient décidé d'intégrer Benjamin au groupe, mais pour ce soir, je tiens à le garder pour moi toute seule.

Heureusement, la plage est grande. Je sais où ils ont l'habitude de faire leur feu… et c'est très loin de l'endroit fétiche de Benjamin, celui où je lui ai parlé pour la première fois cet été, celui où tout a commencé.

Ma mère et moi avons raccompagné madame Rose chez elle pendant que Benjamin se rendait chez lui prendre son sac de couchage. Maintenant, il me reste une dernière chose à faire avant de le rejoindre : convaincre ma mère.

J'ai beau savoir que j'ai de bons arguments, je suis ultra nerveuse. En plus, je n'ai que quelques minutes, le temps qu'elle me conduise à la maison… Ensuite, elle doit retourner au centre d'accueil finir son quart de travail. Je croise les doigts, mais elle parle avant que j'aie pu placer le premier mot.

— Madame Rose avait l'air vraiment contente, tu ne trouves pas ?

— Oh oui, vraiment.

— Je suis fière de toi, Alissa. Franchement, tu m'impressionnes. Tu es allée au bout de ton idée et maintenant, tes amis et toi, vous avez fait quelque chose de vraiment merveilleux. Ta véranda va servir pendant des années. Quand je serai devenue vieille et que j'habiterai là, moi aussi, je penserai à toi tous les jours !

Elle me sourit en me tapotant le genou. D'un sourire plein de fierté qui me va droit au cœur. Je l'aime, ma mère ! Ça m'a pris du temps à m'en rendre compte, mais elle est vraiment extraordinaire !

— Merci, maman.

— Et Benjamin ?

— … quoi, Benjamin ?

— Il est content aussi ?

— … oui.

Qu'est-ce qu'elle insinue ? Content de la véranda ? Content d'être avec moi ? Je ne lui pose pas la question. Je saute plutôt sur l'occasion, puisque c'est elle qui a prononcé son nom la première.

— Parlant de Benjamin, je voulais te demander… est-ce que je pourrais aller dormir avec lui sur la plage ?

— Dormir sur la plage ? Toute seule avec lui ?

Je sens déjà venir le « non », le « jamais de la vie », le « voyons, Alissa, tu n'es pas sérieuse ? » Pourtant, je sais que ça ne me servirait à rien de mentir.

— Oui, toute seule avec lui. On aura chacun notre sac de couchage et je mettrai mon gros pyjama chaud. Il n'est pas du tout le genre à me sauter dessus, surtout le premier soir, et…

— Arrête, Alissa, arrête ! C'est d'accord !

Stoppée en plein élan, je mets quelques secondes à réagir.

— Pardon ?

Ma mère éclate de rire. C'est vrai que je dois faire toute une face !

— C'est d'accord. Je te fais confiance.

Ça alors… C'est la première fois que j'entends ces mots-là dans sa bouche !

— Maman ?

— Oui, Alissa ?

— Je t'aime.

— Moi aussi, je t'aime, ma chérie.

Non seulement ma mère m'a donné sa bénédiction pour cette première nuit avec Benjamin, elle m'a également conduite à la plage avant de retourner au centre d'accueil. Heureusement, parce que je me rends compte, un peu tard, que mon sac de couchage aurait fini par peser lourd si j'étais venue à pied… Quoique, ce soir, j'ai l'impression que je pourrais déplacer des montagnes.

Pourtant… Pourtant, après quelques pas enthousiastes sur le sable, je commence à ralentir. Ce n'est pas que je n'ai pas hâte de retrouver mon amour, c'est juste que… bizarrement, j'ai l'impression que cette nuit va tout changer. Que je ne serai plus la même demain matin alors que le changement, il se fait depuis plusieurs semaines déjà. Qu'est-ce qui m'arrive ?

Je suis amoureuse. Pour la première fois de ma vie, j'aime pour vrai. J'ai seize ans, j'aurai mon bal de finissants l'an prochain, j'ai eu tellement de chums que je ne sais même pas au juste combien, et je suis amoureuse pour la première fois. Ça a quelque chose d'un peu épeurant. Paniquant, même. Personne n'aime se sentir vulnérable et c'est exactement ce que je ressens avec Benjamin. Il a le pouvoir de me faire du mal autant que celui de me faire du bien. Autant que moi, je peux le blesser ou le rendre heureux. Qu'est-ce qui nous attend, lui et moi ? Le bonheur ou les larmes ? Les deux peut-être ? Sûrement… Les histoires de madame Rose et de ma mère m'ont appris que l'un ne va pas sans l'autre, en amour. Pourtant, elles semblent heureuses, chacune à sa façon, même si elles ont gardé des cicatrices. Même si les hommes qu'elles ont aimés ne sont plus dans leur vie.

Le gars que j'aime, il y sera combien de temps, lui, dans ma vie ?

J'ai une brusque envie de rencontrer mon père. De le voir, de lui parler, de connaître sa version des faits à lui. Il aurait pu me raconter comment ça se passe dans la tête et dans le cœur des gars quand ils aiment. Il aurait pu me rassurer. Ou me mettre en garde... J'ai déjà pensé que j'aimerais savoir qui il est vraiment, mais c'est la première fois que ça me prend au cœur d'une façon aussi... viscérale. C'est la première fois que ça me pèse autant d'avoir grandi sans un homme près de moi. Je ne connais rien à la façon de penser des gars, dans le fond : pas de père, pas de frère, pas de cousin proche... Et les chums que j'ai eus n'ont jamais été très portés sur les discussions et les confidences... Avec Benjamin, je sens que ce sera différent. Moi qui croyais connaître les gars, je me rends compte que j'ai tout à apprendre.

Plus j'avance, plus mon pas se fait lourd. Tous ces questionnements dans ma tête m'étourdissent un peu. Je ne suis plus certaine de ce que je veux. L'amour me semble bien compliqué, tout à coup...

Puis j'aperçois Benjamin et tout redevient merveilleusement simple.

Il est déjà en train de dérouler son sac de couchage. Son sourire efface toutes mes incertitudes. Je l'aime. Le reste peut bien attendre...

Cette nuit, je veux que tout soit doux, facile et beau.

Je m'installe à côté de lui et bientôt, nous nous retrouvons tous les deux couchés sous les étoiles. Cette nuit me rappelle une autre nuit, il n'y a pas si longtemps… Comme l'atmosphère est aux confidences, je murmure :

— Benjamin… Tu sais, l'autre soir, quand tu m'as embrassée, si je n'ai pas réagi, c'est parce que j'étais trop surprise. Je n'aurais jamais cru que ça arriverait et surtout… je n'aurais jamais cru que j'aimerais ça. Mais après… j'ai regretté tous les jours de ne pas t'avoir retenu. De ne pas t'avoir dit que je voulais que tu recommences. De ne pas t'avoir dit…

J'avale ma salive et termine :

— … que je t'aime.

Il se tourne vers moi, s'appuie sur un coude… comme l'autre soir. Comme la première fois. Mais aujourd'hui, je sais qu'il ne se sauvera pas.

— Ça tombe bien, moi aussi, je t'aime.

Je m'en doutais, mais l'entendre… L'entendre, c'est presque trop. Trop de bonheur… Je prends son visage entre mes mains. Il se penche vers moi. Il me vient des images d'un ciel plein d'étoiles, du reflet de la lune sur l'eau, d'une étoile de mer en bois…

Je ferme les yeux et toutes les images s'effacent. Il ne reste plus que Benjamin, sa bouche, ses mains… et, au-dessus de nos têtes, une nuit vraiment, vraiment parfaite.

Photo : © Martine Doyon

TANIA BOULET

Tania Boulet est physiothérapeute et pratique son métier à Havre-Saint-Pierre, d'où elle est originaire. S'inspirant souvent de ses propres expériences et situant l'action dans un décor maritime qui lui est familier, elle nous plonge dans le quotidien mouvementé d'adolescents bien de leur temps. Elle a su nous bouleverser avec son premier roman, *Chanson pour Frédéric*, aussi bien qu'avec l'histoire en quatre tomes de *Clara et Julie*, réunis sous le titre *Danser dans la poussière*. Questionnements, tensions et passions animent ses romans grâce auxquels elle démontre qu'on peut ressortir grandi des épreuves que nous réservent la vie... et l'amour.

L'impression de cet ouvrage a permis de sauvegarder l'équivalent de 24 arbres de 15 à 20 cm de diamètre et de 12 m de hauteur.

Achevé d'imprimer au Canada
sur papier Enviro 100% recyclé
sur les presses de Imprimerie Lebonfon Inc.